阶梯汉语

STEP BY STEP CHINESE

中级口语

Intermediate

Speaking

4

本册主编

郝红艳　张念

郝红艳　吴云霞　张念　编著

华语教学出版社
SINOLINGUA

First Edition   2006

Second Printing   2009

ISBN 978-7-80200-106-0

Copyright 2006 by Sinolingua

Published by Sinolingua

24 Baiwanzhuang Road, Beijing 100037, China

Tel: (86) 10-68320585

Fax: (86) 10-68326333

http://www.sinolingua.com.cn

E-mail: hyjx@sinolingua.com.cn

Printed by Beijing Foreign Languages Printing House

Distributed by China International

Book Trading Corporation

35 Chegongzhuang Xilu, P. O. Box 399

Beijing 100044, China

Printed in the People's Republic of China

前　言

本教材是为在全日制学校学过一年（约800学时）汉语的外国留学生编写的中级口语教程。学过《高等学校外国留学生汉语教学大纲》（长期进修）中的初级词（2400个左右），汉语水平考试成绩达到三级（即初等C级）的外国人也适用。

一、编写原则

1. 以功能为纲进行编写

对中级阶段的学生而言，口语面临的问题是如何丰富口语的表达、在不同的场合说不同的话，即如何表达得体。以功能为纲进行编写可以突出语言的功能运用，即在不同的情景下用不同的语言方式进行表达，帮助学生在具体的语言情境中，根据不同的角色说话。

2. 体现口语课的课型特点

本教材是口语教材，在编写上注意与其它课型的区别，体现口语课的三个特点：(1) 口语化的语言风格；(2) 多种口语句式的变化与运用；(3) 课文内容包含一定数量和一定深度的口语习惯用语。

因此，在课文的编写中限制选用书面语材料，突出口语风格；练习的编写注意与其它课型的区别，突出口语练习的特点。

3. 讲求实用性和通用性

在选材上，注意校园生活与社会生活的结合，选用与现实生活密切相关的、内容与句式都实用的新鲜语料，而且语料应该适合中级水平的学生，让学生学了能够用得上。另外，尽量摒弃方言词汇，包括北京方言，力求做到全国通用。

4. 注重操作性和趣味性

操作性指教师可以根据教材有效地控制学生的课堂练习，以达到教学目的。因此，本教材突出利用信息差让学生进行有效的口语操练。信息差的设计注意内容生动有趣，使学生在操练过程中感受语言运用的妙趣。

二、结构安排

本教材分为4册，每册14课（一个功能一课），2个话题（话题也作为一课使用），以7个功能1个话题为一个单元。全书共56课，即56个功能项目，8个话题。供一学年使用。每课包括2—3个课文、生词、注释、练习和一个综合练习、补充词语，一般2—3学时学完一课。

1. 课文／话题

课文的内容是围绕该课的交际功能项目进行编写的。课文一和课文二的编写注意同一功能在不同情境使用的区别，即能体现该课大功能下的微功能。

话题是对中国社会某一现象或某一主题的讨论或概括，也可看作是对前面所学交际功能的复习和综合运用。

2．生词

依照《高等学校外国留学生汉语教学大纲》和《汉语水平词汇与汉字等级大纲》对生词的数量和等级进行了严格的控制。整套教材总体生词平均每课27个以内，避免学生因生词量过大而影响语言的输出。生词以中级为主，高级词和超纲词控制在30%以内。个别课文（如某一话题）由于内容的需要，生词中的高级词和超纲词超过30%，我们通过注释或附加图片等形式降低难度。

3．注释

是对课文中出现的习惯用语、固定格式、重点词语或语法点等的解释说明。

4．练习

针对课文内容进行练习，包括对课文的理解，生词和习惯用语的运用，以及功能句式的灵活运用。任何形式的练习都是为了让学生开口说话。

5．综合练习

是对该课功能学习的总结和综合训练，达到对所学内容进一步巩固和自如运用的目的。

值得一提的是，在练习中我们设置了交际活动——一种信息差（Information Gap）型的练习，即我们给与交际的双方或多方一些信息和指令，每一方所得到的指令和信息是不同的，这些指令和信息在书中的不同页码上，这样交际者之间的情况互不相通，他们需要通过对话来获得彼此的信息，完成交际任务。这种不可预测的"信息差"的练习强调了交际的真实性，而不是模拟性。

6．补充词语

指注释中的例句，课文一、课文二的练习以及综合练习中出现的生词。

为方便使用，每册书后附有该册的生词表、专有名词表，以及全书56个功能总目录。

本教材是周小兵先生主持的华南分会系列教材中的一部，在他的总体规划和指导下进行编写。具体分工如下：第一册1、7～10课、话题一、二由郝红艳完成；2～6、11～14课由张念完成；第二册1、11～13课、话题四由张念完成，2～4、8、14课由蔡晓完成初稿，5～7、9、10课、话题三由蔡闻哲完成初稿；第三册1～3课、话题六由郝红艳完成，4～14课、话题五由吴云霞完成；第四册1～5、12～14课由郝红艳完成，6～11课由吴云霞完成，话题七、八由张念完成。

全部四册由张念修改、统稿。

由于作者水平所限，疏漏、错误在所难免，敬请各位同行批评指正。

编者
2004 年 8 月

CONTENT

CONTENT

第一课

怀疑：靠得住吗

> 我怀疑刚才吃的盒饭不干净

王兰： 怎么了？看你脸色不太好，觉得不舒服吗？

玛丽： 是啊，我的肚子疼得要命。我怀疑刚才吃的盒饭不干净。

王兰： 不一定吧。我怎么吃了就没事儿呢？会不会是你吃了其它的东西？

玛丽： 也没吃什么呀，就是吃了一根冰棍儿。

王兰： 难怪你会觉得肚子疼。你没看医学杂志上讲，吃完热的东西立刻再吃凉的容易得胃病！

玛丽： 那些杂志说的谁信呀！今天说"先吃热的再吃凉的不好"，说不准明天就成了"先吃凉的再吃热的不好"了。

王兰： 你别不信！这不，你已经证实了这句话。有些话不能全信，可也不能一点儿不信！

玛丽： 照你这么说有的话还是有道理的。哎哟，这会儿又疼得厉害了！

王兰： 我们赶紧上药店买点儿药吧！

生 词

1. 脸色	（名）	liǎnsè	look; complexion
2. 怀疑	（动）	huáiyí	suspect
3. 盒饭	（名）	héfàn	box lunch;set meal sold in boxes
4. 冰棍儿	（名）	bīnggùnr	popsicle; ice lolly
5. 难怪	（副、动）（连）	nánguài	no wonder
6. 杂志	（名）	zázhì	magazine
7. 证实	（动）	zhèngshí	verify; confirm
8. 这会儿	（代）	zhèhuìr	now ;at the moment

注 释

❶ 疼得要命

"要命"做补语，表示程度达到了极点。如：

① 今天晚上的演出精彩得要命。

② 这次的考试难得要命。

❷ 不一定

表示不确定。如：

① 今天晚上我不一定能参加晚会。

② A：她这次肯定是第一了。

　　B：不一定吧。

❸ 难怪

副词。怪不得。如：

① 难怪他今天这么高兴，原来他爸爸来了。

② 他都 70 岁了，难怪看不清这么小的字！

一、用怀疑的语气改写下列句子。

1. 他把买书的钱花完了。（我怀疑）

2. 新产品都是好产品。（不一定）

3．他不喜欢和父母住在一起。（难道）

4．这种药能治好他的病。（我不大相信）

5．你记错了她家的地址。（会不会）

6．昨天的考试很难，我可能不及格。（谁信）

二、根据材料会话，并用上指定的词语。

（不一定　难怪　怀疑　证实　不能全信）

　　阿里吸烟有十五年了，近来他常常咳嗽，从医院看病回来后，他决心戒烟。你表示怀疑。

（妻子对丈夫抱怨）

妻子：　近来公司的事那么多，看我累得脸上都长皱纹了！

丈夫：　别伤心了。明天我就陪你去美容院，行了吧！

（第二天，二人来到一家美容院）

妻子：　小姐，请问有什么产品可以帮助消除皱纹的？

小姐：　您可以试一试这一款"美白抗皱系列"化妆品，是我们公司根据民间传统配方研制出的最新产品。

妻子：　效果好吗？

小姐：　放心吧！这个产品很受欢迎，您只要用上一个疗程，皮肤就会有明显的改善。现在正在产品促销期间，您买一套产品，我们可以给您赠送一张美容卡。

丈夫：　靠得住吗？你以前用了那么多化妆品，效果还不是一般？

小姐：　先生，我们公司的信誉是很好的，使用我们的产品错不了！

丈夫：　你的这些广告词，我听得多了！别又是"王婆卖瓜自卖自夸"！

小姐：　如果您觉得效果不好的话，您可以退货。

生　词

1. 抱怨	（动）	bàoyuàn	complain
2. 消除	（动）	xiāochú	out of existence
3. 皱纹	（名）	zhòuwén	wrinkle
4. 系列	（名）	xìliè	series
5. 化妆品	（名）	huàzhuāngpǐn	cosmetics
6. 民间	（名）	mínjiān	folk; among the people
7. 配方	（名）	pèifāng	prescription

8. 研制	（动）	yánzhì	develop and manufacture
9. 明显	（形）	míngxiǎn	clear; obvious
10. 促销	（动）	cùxiāo	promote sale
11. 赠送	（动）	zèngsòng	give as a present
12. 美容卡	（名）	měiróngkǎ	a card for doing professional make-up

注　释

❶ 靠得住

表示可以相信。如：

① 这家商店的产品靠得住。

② 他是一个靠得住的人。

❷ 王婆卖瓜自卖自夸

习惯用语。"卖东西的人夸自己卖的东西好"或者"自己夸奖自己"的意思。如：

① 哪个商人不夸自己的东西好呢，都是"王婆卖瓜自卖自夸"。

② 你别"王婆卖瓜自卖自夸"了，要让别人夸你才行！

一、用括号中所给的词语完成下列对话。

1. A：这些产品是哪儿生产的？

　　B：＿＿＿＿＿＿＿＿＿＿＿（研制）

2. A：这些歌曲真好听，我怎么以前没听过？

　　B：＿＿＿＿＿＿＿＿＿＿＿（民间）

3. A：＿＿＿＿＿＿＿＿＿＿＿（畅销）

　　B：真的吗？

4. A：你买的CD怎么这么便宜？

　　B：＿＿＿＿＿＿＿＿＿＿＿（促销）

5. A：小黄好像有点儿不高兴。

B: ＿＿＿＿＿＿＿＿＿＿＿＿＿（抱怨）

6. A: 这本书挺有意思的，只有一本吗？

套　套

B: ＿＿＿＿＿＿＿＿＿＿＿＿＿（系列）

7. A: 跟你合作的公司怎么样？

B: ＿＿＿＿＿＿＿＿＿＿＿＿＿（信誉）

二、交际活动：

练习"怀疑"的表达方式。二人一组。角色A请看附录1的交际活动1；角色B请看附录1的交际活动27。

综 合 练 习

一、根据要求填表。

"怀疑"常用的表达方式	本课所出现的有关"怀疑"的语句
我有点怀疑	
靠不住	
不见得／未必见得	
不那么简单吧	
真的吗／可靠吗	
别又是	
靠得住吗	
我不大相信	
谁信……	

二、根据下列信息，二人对话，并用上怀疑的语气。

1. 丽达说你的 HSK 考了八级。

2. 你的一个朋友上个月刚结婚，你听说他最近离婚了。

3. 有几个年轻人总在附近转来转去，你怀疑他们想偷东西。

4. 阿里心情不好，你怀疑他家出了什么事。

5. 某服装商店降价一半，你对服装的质量表示怀疑。

6. 有人说"有钱就有幸福"。

三、交际活动：

练习"怀疑"的表达方式。二人一组。角色 A 请看附录 1 的交际活动 14；角色 B 请看附录 1 的交际活动 49。

补充词语

1. 产品	（名）	chǎnpǐn	product
2. 咳嗽	（动）	késou	cough

第二课

后悔：现在说什么都晚了

A： 怎么了，阿里？

B： 真倒霉！刚刚我去银行取钱，一转眼的工夫，自行车就不见了。你说气人不气人！

A： 你的车子上锁了吗？

B： 就是没上锁，要是上了锁，肯定不会丢。

A： 唉，你怎么能不上锁呢？这不就等于把车"送"给小偷吗？

B： 可自行车离我那么近！我站在取款机旁边，自行车就在我身后不到1米的地方，谁知道等到我取完钱，自行车就不见了。想一想，心里觉得真窝囊！

A： 算了，算了，别想了，越想越气！

B： 谁说不是呢。早知道，我一定把车锁好。唉，全怪我不小心。

A： 现在说什么都晚了。再说，要怪也不能怪你，应该怪小偷！

B： 人家都急死了，你还有心思开玩笑。

A： 好，不开玩笑了。我们还是去派出所报案吧！

B： 可一辆旧车算得了什么！派出所有时间管这事吗？

A： 放心吧！这是他们的工作，他们一定会负责帮你查找的。况且我们要配合公安打击违法犯罪活动，你不报案，只会让小偷更猖狂。

生 词

1. 车子	（名）	chēzi	bicycle
2. 锁	（名、动）	suǒ	lock; lock up
3. 窝囊	（形）	wōnang	feel vexed
4. 心思	（名）	xīnsi	idea; thinking
5. 派出所	（名）	pàichūsuǒ	police station
6. 报案	（动）	bào'àn	report a case to the security authorities
7. 违法	（动）	wéifǎ	offend against the law
8. 犯罪	（动）	fànzuì	commit a crime
9. 打击	（动）	dǎjī	beat; combat
10. 猖狂	（形）	chāngkuáng	furious; savage

注 释

❶ 真倒霉

遇到让自己不满意的事情时，常用的语句。如：

① 真倒霉，今天晚上的演出看不成了。

② 真倒霉，我的钱包丢了。

❷ 一转眼

表示时间很短。如：

① 刚才他还在这儿，怎么一转眼就不见了？

② 他跑得真快，一转眼就跑在别人前面了。

❸ 早知道

表示后悔时的用语，常用于"早知道……就……了"的格式中。如：

① 早知道我就不去了，真是白跑了一趟。

② 早知道我就不告诉你了，免得你生气。

一、用指定的词语填空。

心思 猖狂 锁 等到 报案 再说

1. A：出来的时候，你把门_____好了吗？
   B：放心吧！我已经_____好了。

2. A：你什么时候请我吃喜糖？ 讲 请柬
   B：当然_____结婚的时候了。

3. A：人家这么伤心，你还有_____开玩笑。
   B：真对不起，我只是想让你高兴一点。

4. A：遇到紧急的事，要打110_____，记住了吗？ 119. 110 991
   B：知道了，打110。

5. A：我们什么时候去旅游？
   B：最近我很忙，以后_____吧！

6. A：现在的小偷真_____！
   B：可不是嘛！越是热闹的地方，小偷就越多！

二、用表示后悔的语气完成下列对话。

1. A：他把买书的钱花完了。
   B：_____（早知道）

2. A：我要是再有机会学习一遍就好了。
   B：_____（晚了）

3. A：他是一个骗子，你怎么能相信他呢？
   B：_____（窝囊）

4. A：你怎么不看好小弟弟呢？让他摔得那么重！
   B：_____（唉！）

5. A：昨天的考试很难，你能及格吗？
   B：_____（要是……肯定）

三、根据课文内容回答问题。

1. 阿里遇到了什么倒霉的事？

2．他的车子是怎么丢的？

3．阿里为什么后悔？

婚礼 昏礼·

A： 千不该万不该，我不该把钱借给贾老板。现在可好，连人都不见了。

B： 别激动，慢慢说。到底是怎么一回事？

A： 在一次展销会上，我碰到那个贾老板，他告诉我有一项大工程正在招标，如果中标的话，将会获得一大笔利润。只可惜，他公司资金周转不过来，如果我能合伙，为他提供一部分资金，将来就按比例提成。

B： 你就那么相信他呀！

A： 当时我也是头脑发昏，贪图利益，竟然相信了他。

B： 你也真是的，那么大的事，也不慎重一些。

A： 我以为有他的地址和公司注册的商标，应该不会上当的。万万没想到骗子的手法真是高明，现在我才知道他提供的资料都是假的。

B： 要不叫"假"老板呢。世上没有卖后悔药的，"吃一堑长一智"，事到如今也不必太伤心了。

A： 是啊，我真是太天真啦，现在哭都来不及了。

生　词

1. 展销	（动）	zhǎnxiāo	exhibit to sell
2. 招标	（动）	zhāobiāo	invite public bidding
3. 利润	（名）	lìrùn	profit
4. 提成	（动、名）	tíchéng	push money
5. 昏	（动）	hūn	confuse; faint

6. 贪图	（动）	tāntú	lust for
7. 慎重	（形）	shènzhòng	careful; cautious
8. 注册	（动）	zhùcè	enroll; register
9. 商标	（名）	shāngbiāo	brand name
10. 手法	（名）	shǒufǎ	skill; technique
11. 高明	（名、形）	gāomíng	wise

注 释

❶ 千不该万不该

用"千×万×"表示强调。如：

① 千错万错都是我的错。

② 千呼万唤才出现。

❷ 万万

副词，绝对，无论如何。常用于否定式。如：

① 这家商店的东西万万不能买。

② 万万想不到，他是一个骗子。

❸ 吃一堑（qiàn），长一智

俗语，是"经过一次失败的事情，让人长一份见识"的意思。如：

① "吃一堑，长一智"，下次你可千万不要再相信他了。

② "吃一堑，长一智"，你可要记住这次的教训。

一、用括号中所给的词语完成下列对话。

1. A：这些产品是哪儿生产的？

   B：_____（商标）

2. A：我们厂今年的产值怎么样？

   B：_____（利润）

3. A：_____（手法）

B：可不是嘛！前几天，我的一个朋友就被骗走了一只手表。

4. A：就要报高考志愿了，可是我不知报什么好？
　　B：_____（慎重）

5. A：我们的合同是怎么写的？
　　B：_____（提成）

6. A：这次考试考得怎么样？
　　B：_____（万万）

二、根据课文回答问题。

1. A不该做什么事？

2. 贾老板是怎么骗A的？

3. A为什么会后悔？

三、交际活动：

　　练习"后悔"的表达方式。二人一组。角色A请看附录1的交际活动41；角色B请看附录1的交际活动9。

综 合 练 习

一、根据要求填表。

"后悔"常用的表达方式	本课所出现的有关"后悔"的语句
我不该那么做	
后悔得要命	
现在说什么都晚了	
当时……就好了	
真可惜/遗憾	
世上没有卖后悔药的	
感到不安	
怪我/怪自己	
唉/咳!	
真后悔/悔不该/真不该+(做某事)	
对……感到后悔	
早知道……，就……了	

二、用表示后悔的语气改写句子。

1. 你没跟朋友一起去旅行。

2. 你不小心丢了一些有用的资料。

3. 你没有帮助你的同学。

4. 和爸爸、妈妈吵架，离家出走。

5. 某服装商店降价一半，你买了两件衣服，可是质量不好。

6. 没有听大夫的话早一点儿住院，现在的病更重了。

三、交际活动：

　　练习"后悔"的表达方式。二人一组。角色A请看附录1的交际活动2；角色B请看附录1的交际活动55。

四、讲一件在你生活中让你觉得后悔的事，并说说为什么？

补充词语

1. 删　　　　　（动）　　　　shān　　　　delete
2. 记忆力　　　（名）　　　　jìyìlì　　　　memory

第三课

说明：说穿了，就是自己动脑，巧妙记忆

A： 你学汉语那么久了，有什么心得给大家介绍介绍。

B： 怎么？遇到什么难题了？

A： 不瞒你说，好多汉字我看着眼熟，可就是不知道什么意思。

B： 提起学汉字，当初我也是很伤脑筋的。为记汉字，我常常写到深夜，可效率却很低，这边背，那边忘。后来我仔细钻研，总算找到了一个好办法。

A： 什么好办法，快说来听听。

B： 说穿了，就是自己动脑，巧妙记忆。我们先拿一些简单的汉字作例子吧。比方说"好"这个字，家里有"儿"又有"女"就是"好"；"白"字，"日"的左上角的斜线表示从太阳上发出的光，太阳发光就是"白"了；"早"可以理解为：每"日"上午"十"点以前为"早"，等等。这种记忆方法，一来可以帮助我们记住汉字的意思和形状，二来觉得挺有趣，以免学汉字时觉得枯燥。不信你只管试试，挺有效的。

A： 那我现在找几个字，你现场指导一下，启发启发我。

B： 没问题！

生　词

1. 心得	（名）	xīndé	what one has learned
2. 瞒	（动）	mán	hide the truth from
3. 伤脑筋		shāngnǎojīn	bothersome; troublesome
4. 深夜	（名）	shēnyè	late at night
5. 钻研	（动）	zuānyán	dig into
6. 巧妙	（形）	qiǎomiào	skillful
7. 形状	（名）	xíngzhuàng	shape
8. 以免	（连）	yǐmiǎn	for fear; lest
9. 枯燥	（形）	kūzào	uninteresting; dull
10. 只管	（副）	zhǐguǎn	by all means; merely
11. 启发	（动）	qǐfā	inspire; illume

注　释

❶ 不瞒你说

说明一件事情时的用语。意思和"说实话"差不多。如：

① 不瞒你说，我有把握把这个机器修理好。

② 不瞒你说，他这个人是从来不骗人的。

❷ 这边背，那边忘

"这，那"指示代词表示虚指。如：

① 我写了很多遍了，可这边写，那边忘！

② 这些零钱，我这边拿，那边就丢了，别给我了。

❸ 总算

副词，表示经过相当长的时间以后，某种愿望终于实现了。如：

① 一连下了六七天的雨，今天总算晴了。

② 他白天想，夜里想，最后总算想到了一个好办法。

❹ 只管

副词，尽管的意思。如：

① 你不要担心没有钱，只管好好学习，有我呢！

② 你需要我帮忙的，只管说。

练习

一、选择适当的词语填空。

只管 当初 钻研 伤脑筋 现场 枯燥 效率 总算 以免

1. A：_____你要是听我的话，就好了。
   B：现在已经这样了，你就帮帮我吧！

2. A：你们厂的生产怎么样？
   B：这一段时间不行，_____很低。

3. A：这些年来，经过科学家们的_____，终于有了答案。
   B：什么答案，讲来听听。

4. A：下午我们去买东西吧！
   B：我不去了，下午三点有英国队和巴西队的_____直播足球比赛。

5. A：小明的事解决了吗？
   B：我正为他的事_____呢。

6. A：昨天的作业，你写完了吗？
   B：我一直写到十点种，_____写完了。

7. A：早点准备论文吧，_____到时候作不完。
   B：好吧，听你的。

8. A：昨天的报告你听了吗？
   B：那个报告真_____，我没听完就走了。

9. A：他能完成这些任务吗？
   B：我们_____让他试试吧。

二、根据材料，按时间顺序说明"一次旅行"，并模仿说明自己的一次旅行路线。

☞ 11月5日到达河北承德。

☞ 第二天上午七点出发，八点开始游览承德市区。

☞ 10点—12点走西线游览承德山庄，并在这里吃午饭；

☞ 中午1点—3点走中线参观如意湖；

☞ 下午3点－6点参观外八庙；庙

☞ 晚上7点离开承德山庄。在承德市区品尝小吃。

三、根据本课介绍的经验，举例说明你学习汉语的心得，并用上下列词语。

    不瞒你说   说穿了   一来……二来……   拿……作例子   比方说

2

A： 我前两天看了一本小说，里面人物的名字挺有意思的，叫"六斤"、"七斤"。

B： 噢，这是以出生时的体重来命名的。说起来中国人起名字，那可是三言两语说不完的。譬如：在西方，小孩子的名字往往和家族中比较受尊重的人同名；而在中国，小孩子的名字与长辈同名则被看做不敬。

A： 是吗？竟然有这么大的差别。

B： 当然。听说，在中国起名字是很讲究的。比如：过去在中国不同的姓氏都有自己的家谱。因此起名字要按辈分的，也就是说，名字中的第一个字是这个辈分的标志。拿中国有名的孔氏家族来说，这个习俗一直延续到近几年。

A： 那这样一来，不是会出现很多重名的现象吗？

B： 不错，但除了正式的名字，也就是大名之外，中国人还喜欢起小名，又叫别名。包括很多名人，都有自己的小名。坦率地说，这些别名就没有那么好听了，不过一般只有家里人或者很好的朋友才知道。农村里还有人给孩子起名叫"狗蛋"、"狗剩"、"傻蛋"的，等等。

A： 这也太难听了！有谁愿意让别人管自己叫"傻蛋"呢？

B： 之所以起得不好听，是因为人们相信：名字越贱的孩子越好养！还有，过去由于一家的孩子多，有时干脆就按孩子的排行起名字，什么"大民"、"二民"、"三民"，一听就知道是兄弟三人。

A： 听你这么一讲，我觉得这里面的学问还真不小呢！

1. 三言两语		sānyánliǎngyǔ	in a few words
2. 譬如	（动）	pìrú	for example
3. 看做	（动）	kànzuò	look upon
4. 差别	（名）	chābié	difference
5. 姓氏	（名）	xìngshì	family name; surname
6. 家谱	（名）	jiāpǔ	family tree
7. 辈分	（名）	bèifen	position in the family hierarchy
8. 习俗	（名）	xísú	custom
9. 延续	（动）	yánxù	continue
10. 这样一来		zhèyàngyìlái	in this way
11. 名人	（名）	míngrén	famous man
12. 贱	（形）	jiàn	humble

注　释

❶ 说起来

"起来"跟在动词后面作补语，表示估计或着眼于某一方面。如：

① 看起来，他不会来了。

② 说起来马力，大家没有不知道的。

❷ 按

介词"按"表示遵照某种标准。其后可带名词，也可以是动词或小句。"按"所带名词可以是单音节的。如：

① 大夫让他按时吃药。

② 按他离开广州的时间算，他现在应该到北京了。

❸ 拿……来说

举例说明时常用的句式。如：

① 拿小丽来说吧，她就很喜欢小动物。

② 拿去年来说，我们的情况就很不理想。

❹ 管……叫……

固定格式。"管"介词，作用跟"把"相近，常跟"叫"配合。如：

① 我们管他叫小胖子。

② 他管老师叫妈妈。

一、根据课文回答问题。

1. "六斤"、"七斤"的名字是怎么起的?

2. 课文中讲到中国和西方起名字有什么不同?

3. 按辈分怎么起名?

4. 中国人只有一个名字吗? 为什么?

5. 过去, 人们为什么会起那么贱的名字?

6. "大民、二民、三民"的名字是怎么起的?

二、用括号中所给的词语完成下列对话。

1. A: 老张怎么没来?
   B: ＿＿＿＿＿＿＿＿＿＿＿(之所以……是因为……)

2. A: 初次见面, 怎么称呼您?
   B: ＿＿＿＿＿＿＿＿＿＿＿(管……叫……)

3. A: 你知道中国的哪些城市好玩吗?
   B: ＿＿＿＿＿＿＿＿＿＿＿(譬如)

4. A: 你们公司的工资怎么发?
   B: ＿＿＿＿＿＿＿＿＿＿＿(按)

5. A: 小黄怎么跟她女朋友分手了?
   B: ＿＿＿＿＿＿＿＿＿＿＿(三言两语)

6. A: 这本书怎么样?
   B: ＿＿＿＿＿＿＿＿＿＿＿(坦率地说)

7. A: 最近的物价涨了吗?
   B: ＿＿＿＿＿＿＿＿＿＿＿(贱)

8. A：我明天要搬家了。

　　B：_____（这样一来）

三、根据下图来说明这些服装都适合在什么场合穿？不适合在什么场合穿？并用上指定的词语。

| 譬如 | | 管……叫 | | 坦率地说 | | 由于 |
| 之所以……是因为…… | | 拿……来说 | | 因此 | | |

| 西装 | 吊带连衣裙 | 旗袍 | 夹克 | 牛仔裤 | 牛仔上衣 | 背心 |
| 睡衣 | 棉袄 | 长大衣 | 结婚礼服 | 马甲 | 运动装 | |

四、说一说你们国家起名字的风俗。

综合练习

一、以下是说明的常用表达方式，说一说本文用了哪些表示说明的语句。

（某人）＋是＋（身份）……

（某人）＋今年……岁

（某人）＋生于……年

……占……的 ％

……是＋（时间、地点、方式……）＋（动词）＋的

譬如／比方说／比如说

说实在的／说心理话

说穿了／说白了

老实说／不瞒你说／坦率的地说

一来／一则／一是……，二来／二则／二是……

……以免／为的是／以便／省得……

之所以……是因为……

拿……来说

由于……因此／所以……

因……而……

二、分角色朗读对话，然后用加色的词模仿对话。

1. A：毕业时找工作，可是一件大事。

   B：是啊。可是目前有的学生对工资的期望过高。据一份调查表明，认为自己应有5000元以上的工资的研究生占毕业生的50%，而用人单位愿意出3000—4000元的只占25%。

2. A：是不是新来了一个研究生？

   B：你说的是小马吧，她是北大毕业的。可年轻了，好像是1983年生的，才23岁。

3. A：你看到前面的那座桥了吗？

   B：看到了，听说很有名。

   A：是的。它是1705年建的，据今已有300年的历史了。

4. A：你说老张和小王真的是好朋友吗？

   B：说白了，他俩是互相利用。

5. A：为什么这种花的名字叫"变色花"呢？

B：因这种花的颜色随时间变化而命名。早上它开浅红色的花，下午三点又变为粉红色。半夜零点左右是红色。

6．A：看样子你很喜欢这家饭店。
　　B：我之所以喜欢这家饭店，一是因为味道好，二是因为环境好。

三、交际活动：

　　练习"说明"的表达方式。二人一组。角色A请看附录1的交际活动5；角色B请看附录1的交际活动44。

四、运用本文所学的表示说明的句子，对一件事物进行说明。

补充词语

1. 简体字	（名）	jiǎntǐzì	simplified character
2. 编写	（动）	biānxiě	compile

专有名词

1. 巴西	Bāxī	Brazil
2. 承德	Chéngdé	Chengde; a city in Hebei Province
3. 如意湖	Rúyìhú	Ruyi Lake
4. 外八庙	Wàibāmiào	Outlying Temple of the Mountain Resort in Chengde

第四课

谢谢你的好意

赵　　姐：芳芳，你买的床单退掉了吗?

芳　　芳：别提了，到那儿我就碰了个钉子。他们说，打折的东西是不能退换的。

赵　　姐：怎么能这样呢? 据我所知，打折的物品是允许退换的。他们只不过想耍赖而已。我
　　　　　陪你一起去一趟，一定要向他们讨个说法。

芳　　芳：谢谢你的好意。哪能让你陪我去受气呢?

赵　　姐：没什么，无非是多花点儿时间和精力，但是为了争回公道和权益，还是值得的。

芳　　芳：你的心意我领了，还是我自己去吧。

赵　　姐："人多力量大"，有我在旁边帮忙会好一些。走吧!

（二人一起来到了商场）

芳　　芳：售货员，昨天我在这儿买的床单有质量问题，希望能退换。

售货员：怎么又是你呀! 对不起，打折的商品我们一律不退。

赵　　姐：打折商品不是处理商品，按照产品质量法的规定，应当同其他商品一样，出现质量
　　　　　问题，商家要负责修理、退换的。

售货员：对不起，这事我说了不算。

赵　　姐：你说了不算，那就把你们的头头儿找来吧。

经　　理：这件事，我已经知道了。我们要研究研究再说，你过两天再来吧!

赵　　姐：你们总说研究研究, 这事根本就用不着研究。如果不行的话，我们就直接投诉到"消
　　　　　费者协会"了，你们要是觉得光彩的话，咱们到时候见!

经　　理：二位别生气，有话好说。你们带发票了吗?

生　词

1. 床单	（名）	chuángdān	bed sheet
2. 碰钉子		pèngdīngzi	get the cheese
3. 打折	（动）	dǎzhé	discount
4. 耍赖	（动）	shuǎlài	act shamelessly
5. 无非	（副）	wúfēi	no more than; nothing but
6. 权益	（名）	quányì	rights and interests
7. 法	（名）	fǎ	law
8. 头头儿	（名）	tóutour	chief
9. 投诉	（动）	tóusù	appeal to
10. 光彩	（形）	guāngcǎi	reputed
11. 生气	（动）	shēngqì	angry
12. 发票	（名）	fāpiào	invoice

注　释

无非

副词，只、不外乎的意思。如：

① 无非我们多跑几趟，事情总会办成的。

② 院子里无非种了一些梅花。

练习

一、选词填空。

无非　碰钉子　说法　光彩　心意　打折　耍赖

1. A：我们比赛的时候不准＿＿＿＿＿，输了就要请客。

   B：放心吧！我已经做好准备了。

2. A：便宜的东西不一定不好。

   B：是啊，比如说冬天来了，夏天的衣服就＿＿＿＿＿了。

3. A：不管怎样，你都要给我们一个_____。

　　B：好吧，我们一定做到。

4. A：又来了，真讨厌！

　　B：这些人_____是想要几个钱，给他就是了。

5. A：我每次去总是_____。

　　B：可能你每次去的时候，她的心情不好。

6. A：你觉得当小偷是一件_____的事吗？

　　B：当然不是。

7. A：谢谢你的好意，这些东西我不能收。

　　B：这是我的一点_____你就收下吧！

二、用指定的词语完成下列对话。

1. A：明天咱们一起去游泳，好吗？

　　B：_____（对不起）

2. A：中午我们一起吃饭吧，我请客。

　　B：_____（哪能让你）

3. A：这些题很难，我帮你做吧。

　　B：_____（用不着）

4. A：我的申请什么时候能答复？

　　B：_____（研究）

5. A：我陪你去医院吧！

　　B：_____（谢谢你的好意）

6. A：这些礼物是送给你的。

　　B：_____（心意）

7. A：你就帮我这次忙，让我进去吧！

　　B：_____（说了不算）

三．根据课文内容回答问题。

    1．芳芳因为什么事而碰钉子?

    2．售货员不退货的理由有哪些?

    3．赵姐坚持退货的理由是什么?

    4．最后的结果是什么?

四．你遇到过类似的事情吗?请讲述一下。

弟弟： 哥，帮我收拾一下房间吧。下午我有客人要来，一个人收拾不过来。

哥哥： 真不巧，我正要去上网呢，这次帮不了你了，独自干吧！bye-bye！

弟弟： 哥，这一次的客人很重要，你就帮我一次好吧？

哥哥： 不行，不行。说好了我们轮流打扫房间，每次轮到你打扫的时候，你总有借口让我帮忙。这一次坚决不帮你了，你的客人和我无关，自己的事情自己做吧。

弟弟： 你就帮我这回吧，以后再也不让你帮忙了。下星期我请你去看摄影展。

哥哥： 别费心了，上次你还说要请我吃西餐，可至今还没兑现呢。这次居然还想让我上当，没门儿。

弟弟： 这一次是真的，我们摄影老师说这次给我带两张门票来。

哥哥： 你刚才说谁要来？

弟弟： 摄影老师呀。不过谁来都跟你无关，反正你也不乐意帮我。

哥哥： 好弟弟，你怎么不早说？那我得去超市买点儿饮料、矿泉水什么的，咱家冰箱里什么也没有了。哎，他爱喝什么呀？

弟弟： 你不去上网了？

哥哥： 老师好不容易才来一次，怎么能错过呢？待会儿，帮我挑几张像样儿的照片出来请你们老师评价评价。

生　词

1. 独自	（副）	dúzì	on one's own
2. 轮流	（动）	lúnliú	take turns
3. 坚决	（形）	jiānjué	decided
4. 无关	（动）	wúguān	be foreign to; be independent of
5. 摄影	（动）	shèyǐng	photograph
6. 至今	（副）	zhìjīn	as yet; to this day
7. 兑现	（动）	duìxiàn	cash in
8. 门票	（名）	ménpiào	ticket
9. 乐意	（形、动）	lèyì	be happy to; be willing to
10. 矿泉水	（名）	kuàngquánshuǐ	table-water; mineral water
11. 像样儿	（形）	xiàngyàngr	formal

注　释

❶ 再也

"再"和否定副词一起用，表示动作不重复或不继续下去。"再＋也＋不（没）"语气更强，有"一次也不（没）"的意思。如：

① 我再也不会上你的当了。

② 那个公园没意思，我再也不去了。

❷ 什么的

"……什么的"用在一个成分或几个并列成分后，等于"等等"。常用于口语。如：

①桌子上放着本子、书什么的。

②他买了鱼呀、肉呀、鸡呀什么的。

❸ 像样儿

有一定的水平，够一定的标准。如：

① 他的字写得很像样儿。

② 我没有一件像样儿的衣服。

练 习

一、用括号中所给的词语完成下列对话。

　　1. A：你知道他们的要求吗?

　　　 B：＿＿＿＿＿＿＿＿＿＿＿＿（无关）

　　2. A：你去过那家新开的商店了吗?

　　　 B：＿＿＿＿＿＿＿＿＿＿＿＿（再也不）

　　3. A：＿＿＿＿＿＿＿＿＿＿＿＿（手法）

　　　 B：可不是嘛! 前几天, 我的一个朋友就被骗走了一只手表。

　　4. A：救你的司机找到了吗?

　　　 B：＿＿＿＿＿＿＿＿＿＿＿＿（至今）

　　5. A：晚上有一些重要的客人要来。

　　　 B：＿＿＿＿＿＿＿＿＿＿＿＿（像样儿）

　　6. A：近来我很累, 不想去旅行了?

　　　 B：＿＿＿＿＿＿＿＿＿＿＿＿（坚决）

二、根据课文内容回答问题。

　　1. 弟弟请哥哥帮什么忙?

　　2. 哥哥一共拒绝了他几次? 每次都是怎么拒绝的?

　　3. 是什么样的客人要来?

　　4. 根据课文, 可以知道哥哥有什么爱好?

　　5. 比较一下, 课文一和课文二的拒绝有什么不同?

三、交际活动：

　　　　练习"拒绝"的表达方式。二人一组。角色 A 请看附录 1 的交际活动 21；角色 B 请看附录 1 的交际活动 37。

一、根据要求填表，并想一想哪些语句属于有礼貌的拒绝，哪些属于直接的拒绝，哪些是对熟悉的人的拒绝，哪些是生气时的拒绝？

"拒绝"常用的表达方式	本课所出现的有关"拒绝"的语句
这办不到／这事我实在办不到	
不行，不行	
对不起＋理由	
很抱歉，我没办法解决	
这让我很难办	
谢谢你的好意	
你的心意我领了，但……	
我们再考虑考虑／研究研究	
你少来这一套	
没门儿	
你别想／别做梦了	
以后再说吧	
有点儿难办／恐怕不好办	
谢谢，我自己能来	
我已经……了，实在抱歉	
用不着	
真不巧，……	
哪能让你＋动词	

二、选择不同的表示拒绝的语句完成对话。

1. A：明天早上你七点钟来，好吗？
   B：＿＿＿＿＿＿＿＿＿＿＿＿＿＿＿

2. A：我忘带准考证了，你先让我进去考试吧，好不好？
   B：＿＿＿＿＿＿＿＿＿＿＿＿＿＿＿

3. A：我们一起去郊游吧。
   B：＿＿＿＿＿＿＿＿＿＿＿＿＿＿＿

4. A：哥，我的作业没写完呢，你帮我写写吧。

　　　　B：＿＿＿＿＿＿＿＿＿＿＿＿＿＿＿＿

5．A：我再也不偷东西了，这一次你放过我吧，别让我去派出所了。
　　　B：＿＿＿＿＿＿＿＿＿＿＿＿＿＿＿＿

6．A：明天再写计划吧，现在该睡觉了。
　　　B：＿＿＿＿＿＿＿＿＿＿＿＿＿＿＿＿

三、交际活动：

　　　　练习"拒绝"的表达方式。二人一组。角色A请看附录1的交际活动53；角色B请看附录1的交际活动6。

四、在生活中，你被拒绝过吗？（你拒绝过别人吗？）说一说你用过的表示拒绝的语句。

补充词语

1. 法则	（名）	fǎzé	principle
2. 处罚	（动）	chǔfá	punish
3. 推销	（动）	tuīxiāo	promote
4. 优惠	（形）	yōuhuì	favourable; preferential

第五课

庆幸：真是太巧了

王朋： 嘿！小丽！

小丽： 王朋呀！没想到在广州街头见到你，真是太巧了！

王朋： 是呀。我正打算和你联系呢！这真是应了中国一句古话，"踏破铁鞋无觅处，得来全不费功夫。"

小丽： 看你说的。说正经的，找我有什么事儿。

王朋： 听说政府即将放宽外资办学的条件，我们计划兴办一所学校，主要培养高等职业技术人才。在这之前，我们已经做了一些调查，但是了解得还不是很清楚。所以我们想聘请一些专业人士，制订具体的方案，并主持一部分工作。我想你是专门研究高等教育的，对这些最在行，不知你有没有兴趣？

小丽： 说实话，我们研究所恰好在搞一项教育研究，到目前为止还没有找到合适的合作单位。你谈的这些还挺符合我们的要求的。

王朋： 幸亏见面及时，要不我们就丧失了一次合作的机会！真是谢天谢地。

小丽： 我看哪天咱们先座谈一下，着重协商一下合作的细节问题。

王朋： 好的，越快越好，争取早日拿出方案！

生　词

1. 即将	（副）	jíjiāng	be about to
2. 兴办	（动）	xīngbàn	set up
3. 制订	（动）	zhìdìng	draw; map out
4. 研究所	（名）	yánjiūsuǒ	research institute
5. 为止	（动）	wéizhǐ	till; up to
6. 幸亏	（副）	xìngkuī	luckily
7. 座谈	（动）	zuòtán	have an informal discussion
8. 着重	（动）	zhuózhòng	emphasize; stress
9. 协商	（动）	xiéshāng	arrange; consult with
10. 早日	（副）	zǎorì	early; soon

注　释

❶ 踏破铁鞋无觅处，得来全不费功夫

俗语，表示非常难的事情又很容易地解决了。

❷ 幸亏

副词，表示借以免除困难的有利情况。如：

① 幸亏救治及时，才保住了性命。

② 幸亏你来了，要不就错过了这次机会。

练习

一、选择适当的词语填空。

争取　即将　说正经的　幸亏　早日　符合　主持　着重　为止

1. A：_____，你要是听我的话，就没这么麻烦了。

   B：现在已经这样了，你就帮帮我吧！

2. A：你们厂的生产怎么样？

   B：这一段时间不行，到目前_____产量很低。

3. A：_____你来了，要不然你一定会后悔的。

B：是啊，这场音乐会太精彩了！

4．A：听说有一些专家要来我校讲学。
    B：希望我们能＿＿＿＿＿＿＿听到他们的讲座。

5．A：你的理想＿＿＿＿＿＿＿实现了，你有什么感想吗？
    B：希望我能做一名受欢迎的歌星。

6．A：今天晚上的晚会，你能来吗？
    B：我＿＿＿＿＿＿＿四点以前回来吧。

7．A：你能说说那篇论文＿＿＿＿＿＿＿写了哪几方面的内容？
    B：看的时间太久了，有些我都记不清楚了。

8．A：明天的报告谁来＿＿＿＿＿＿＿？
    B：让小王试试吧。

9．A：你觉得有多少人＿＿＿＿＿＿＿我们的条件？
    B：大约有 15 个。

二、交际活动：

　　练习"庆幸"的表达方式。二人一组。角色A请看附录1的交际活动3；角色B请看附录1的交际活动47。

A： 真让人想不到！前两天的台风真大，吹倒了许多房屋和树木，听说还有几艘渔船差点儿沉了。

B： 是啊，这是今年遭受的台风中规模最大的一次，影响范围又广，好多地方受灾。不过，幸运的是没有人员伤亡。

A： 真的吗？这真是不幸中的万幸。

B： 我觉得今年的台风似乎比过去明显地增多了。

A： 是啊，现在的天气变化很大，而台风又会给我们的生命财产造成极大威胁。多亏政府有关部门加强了防台风工作的力度和资金的投入，在台风登陆前就及时通知大家，使台风造成的直接损失减轻很多。

B： 可见"防灾减灾"在于预防工作做得好坏。你看，上个月的那场火灾，就是由于预防工作没有做好，造成了很大的损失。

A： 不过话说回来，我们不光要防灾抗灾，当灾害发生时还要保持头脑清醒，齐心协力共同抗灾。

B： 我听说在上次那起事故中，许多居民都吓呆了，只顾向外跑了。幸好有一位小伙子比较镇静，赶紧拿起消防栓，迅速灭火。在他的带动下，其他人也开始行动起来，才减少了许多损失。不然的话，后果简直难以想象。

生　词

1. 艘	（量）	sōu	measure word (used for boat)
2. 沉	（动、形）	chén	sink
3. 遭受	（动）	zāoshòu	suffer from
4. 范围	（名）	fànwéi	range
5. 幸运	（形、名）	xìngyùn	luck
6. 威胁	（动）	wēixié	force
7. 损失	（名、动）	sǔnshī	damage; lose
8. 减轻	（动）	jiǎnqīng	lighten
9. 在于	（动）	zàiyú	consist; rest with
10. 火灾	（名）	huǒzāi	fire
11. 不光	（副、连）	bùguāng	not only
12. 齐心协力		qíxīnxiélì	make concerted effort
13. 镇静	（形、动）	zhènjìng	calm
14. 消防栓	（名）	xiāofángshuān	fire hydrant; fireplug
15. 带动	（动）	dàidòng	bring along; drive

注　释

❶ 不幸中的万幸

表示非常幸运。如：

① 虽然发生了车祸，但并没有人员伤亡，真是不幸中的万幸。

② 小马从山上摔下来，但没有生命危险，这真是不幸中的万幸。

❷ 防灾减灾

是"预防灾害，减少灾害"的简称。

一、根据课文内容回答问题，并用上括号中的词语。

1. 这次台风造成的损失大吗？（幸运）

2. 为什么今年的损失比往年减少了？（多亏）

3. 防灾减灾重在什么？（在于）

4. 灾害发生时怎么办？（不光）

5. 上次的火灾造成的损失怎么样？（幸好……不然……）

二、用括号中所给的词语完成下列对话。

1. A：只有我们班在 10 楼上课吗？

   B：＿＿＿＿＿＿＿＿＿＿＿＿＿＿（不光）

2. A：你们班同学怎么都选修了武术课？

   B：＿＿＿＿＿＿＿＿＿＿＿＿＿＿（带动）

3. A：去北京旅游，好玩吗？

   B：＿＿＿＿＿＿＿＿＿＿＿＿＿＿（简直）

4. A：昨天的演出你参加了吗？

   B：＿＿＿＿＿＿＿＿＿＿＿＿＿＿（差点儿）

5. A：＿＿＿＿＿＿＿＿＿＿＿＿＿＿（真让人想不到）

   B：他们俩早就分手了。

6. A：你买到电影票了没有？

   B：＿＿＿＿＿＿＿＿＿＿＿＿＿＿（幸好）

7. A：最近的物价涨了吗？

   B：＿＿＿＿＿＿＿＿＿＿＿＿＿＿（明显）

8. A：听说昨天发生了一起交通事故。

   B：＿＿＿＿＿＿＿＿＿＿＿＿＿＿（幸运）

9. A：这么重的任务，我们能完成吗？

   B：＿＿＿＿＿＿＿＿＿＿＿＿＿＿（齐心协力）

综合练习

一、以下是庆幸的常用表达方式，说一说本文用了哪些表示庆幸的语句。

哈哈／嘿！……

多亏／幸亏／幸好／亏得……，不然／要不／否则……

差点儿

运气不错

要不是……，又／还……

谢天谢地

恰好／恰恰

幸运／凑巧／太巧了／巧极了

想不到／没想到＋（有某种幸运）

不幸中的万幸

命大福大造化大

踏破铁鞋无觅处，得来全不费功夫

竟然／居然

二、分角色朗读对话，然后用加色的词模仿对话。

1. A：想不到咱们居然赢了，真是值得庆幸。

   B：是啊。要不是他们的主力病了，我们还是很难赢的。

2. A：太巧了，我正要给你打电话。

   B：找我有什么事吗？

   A：咱们好好商量商量下学期的计划吧。

3. A：你的准考证找到了吗？

   B：阿里帮我捡到的。

   A：亏得找着了，要不你明天怎么去考试？唉，这准考证也是随便丢的吗？

   B：下一次，我一定注意。

4. A：你真幸运，他们那儿正好需要一位翻译，我推荐你去吧。

   B：太谢谢您了。

5. A：带钱了吗？能不能先借给我85块。

   B：我看看。50、10块、20块、5块，哈哈！正好85块，给你吧！

6. A：没想到这么大的难关你都闯过来了，真是福大命大造化大。

　　B：希望我以后都不会遇到这样的事了。

三、根据下面这篇报导，分组讨论，并用上表示庆幸的词语。

据四川电视台报道：

　　欣欣是名1岁的女婴，刚刚来到世间，就患有先天性心脏病。因为家中比较贫穷，无钱医治，小欣欣曾经被父母遗弃在街旁。后来被一位退休的老师收养，通过社会上各界人士的捐款，目前在一家医院接受手术治疗。昨天，小欣欣顺利地进行了心脏修复手术，正在经历她人生的第二次转折。

（真让人想不到　　幸运的是　　不幸中的万幸　　不然的话　　多亏）

四、请你讲一件发生在你身边的值得庆幸的事。

专有名词

1. 任务	（名）	rènwu	task	
2. 捐款	（动）	juānkuǎn	donate	
3. 曾经	（副）	céngjīng	ever; once	
4. 转折	（动）	zhuǎnzhé	a turn in the course of events; transition; turn	

第六课

要求：要写护照的名字，地址要用中文填写

（银行的广播：请36号到5号窗口办理。）

A： 请问有什么可以帮助您？

B： 我想存钱。

A： 存多少？

B： 5000美元。

A： 请给我您的存折？

B： 我没有存折，我是第一次来存钱。

A： 是这样……，那您要填一张开户申请书。

B： 请问在姓名这一栏，可以写我的中文名字吗？

A： 不行。要写护照上的名字，地址要用中文填写。

B： 这样行不行？

A： 可以了！ 您要不要留密码？

B： 当然要！

A： 请输入六位数的密码！

B： 好了！

A： 请再输入一次密码，必须记住密码，以后凭密码取钱。

B: 如果我忘记了密码，是不是会有麻烦？

A: 对！如果你忘记了密码，要凭护照来申请修改密码。不过，这样的话，十天之内您就不能取钱。

B: 太麻烦了，我还是好好儿记住密码吧！

A: 您要不要再办一张 ATM 卡？

B: 现在自动取款机很普及，用起来方便，给我办一张吧。

A: 请你再填写一张登记表。

B: 什么？ 还要填表？

A: 本来嘛，万事开头难，以后就方便了！

B: 我倒不是怕麻烦，只是我还要赶着去上汉语课呢！

生 词

1. 窗口	（名）	chuāngkǒu	window, counter
2. 存钱	（动）	cúnqián	deposit
3. 存折	（名）	cúnzhé	bankbook
4. 开户	（动）	kāihù	open an account
5. 申请书	（名）	shēnqǐngshū	application form
6. 填写	（动）	tiánxiě	fill in
7. 凭	（介）	píng	depend on; base on
8. 登记表	（名）	dēngjìbiǎo	registration form

注 释

❶ 万事开头难

俗语。意思是事情的开始阶段比较困难，常常用在安慰、鼓励的语气当中。

❷ 倒不是

意思是对某事本来是同意的，由于后面提到的原因不得不如此，起舒缓语气的作用。

如：

① 我倒不是反对你去旅行，我是觉得应该去更有意思的地方。

② 他倒不是不喜欢看法国电影，主要是因为他听不懂法语。

一、根据课文内容，回答问题。

1. 你觉得中国的银行服务怎么样？跟你的国家相比，中国的银行服务有什么不同的地方？

2. 你有没有办过ATM卡？谈谈ATM卡的功能？

二、用指定的词语完成下面的对话。

A：真倒霉，我今天不能取钱了。

B：是不是_____。（存折）

A：不是，_____。（ATM卡）

B：没关系，去银行_____。（凭 护照）

A：那我就能拿回我的卡了，现在我不急了，多亏你的提醒。

B：没什么，我比你早一年来中国嘛！刚来的时候我也经常遇到困难。

A：我真佩服你，适应能力那么强。

B：_____（倒不是），我只是在麻烦中积累了一些生活的经验罢了。

三、交际活动：

练习"要求"的表达方式。二人一组。角色A请看附录1的交际活动11；角色B请看附录1的交际活动30。

A： 喂，是"食最美"吗？

B： 是啊，请问有什么可以帮助您？

A： 我想预先订一个房间，带卡拉OK的，里面摆两张桌子，安排20个座位。

B： 请问你们什么时候就餐？

A： 这个星期五晚上六点，请务必帮我们安排好。

B： 你们想要点儿什么菜呢？

A： 来点儿有特色的四川菜吧，可是一定要记住，所有的菜都不要放味精。

B： 行，我们会通知厨房的师傅的。我给您推荐几个我们这儿的招牌菜吧，辣子鸡、水煮牛
肉，别提多受欢迎了！

A： 我们每个人的口味不同，这样吧，就先点上这几个，其他的等我们去了再说。我早就听
说，去了川菜馆不吃"东坡肘子"，终身遗憾！

B： 到时候一定不让你们遗憾！请问还有别的要求吗？

A： 我们所有的菜一律要中辣的。还有，那是我们的毕业聚会，得请你们安排一些校园歌曲助
兴。

B： 没问题。我们会尽可能照您的要求去做，请您放心。

A： 谢谢。那我们星期五晚上见。

B： 请您留下姓名和电话号码，可以吗？

A： 不好意思，说了半天，把这个给忘了。

生　词

1. 预先	（副）	yùxiān	in advance; beforehand
2. 就餐	（动）	jiùcān	have a meal; eat
3. 务必	（副）	wùbì	must; be sure to
4. 味精	（名）	wèijīng	monosodium glutamate
5. 招牌	（名）	zhāopái	sign; signboard
6. 终身	（名）	zhōngshēn	for life
7. 遗憾	（名、形）	yíhàn	regret
8. 一律	（形）	yílǜ	all and singular
9. 聚会	（动、名）	jùhuì	party; get-together
10. 校园	（名）	xiàoyuán	campus
11. 助兴	（动）	zhùxìng	add to the fun

专有名词

1. 川菜馆	chuāncàiguǎn	restaurant of Sichuan flavor
2. 辣子鸡	làzǐjī	fried chicken with pepper
3. 水煮牛肉	shuǐzhǔniúròu	boiled beef with hot peppers

练习

一、根据课文内容，回答问题。

1. 谈一谈中国餐厅的特色，介绍一个你经常去的餐厅。

2. 毕业聚会除了吃饭还有什么有意思的活动。如果让你来安排，你的班在毕业之前会有什么样的活动？

二、用指定的词语完成下面的对话。

A：你走得这么急，上哪儿去啊？

B：去中国大酒店吃饭，_____。（聚会）

A：这么说，你可以见到很多老同学了？

B：可不是，都20年没见面了。班长通知了，_____。（务必）

A：要每个人带上毕业照，多新鲜哪！

B：这可难住我了，最近我刚出国回来，＿＿＿＿＿＿＿＿＿＿＿＿＿＿（别提……了），哪
　　儿有时间整理照片呀！

A：＿＿＿＿＿＿＿＿＿＿＿＿＿＿＿＿＿＿。（遗憾）

B：不过，照片是找到了，可是眼看着就要迟到了。

A：你别急，＿＿＿＿＿＿＿＿＿＿＿＿＿＿＿＿＿。（这样吧）

B：让你开车送我？这多不好意思！

A：没关系，反正今天有空儿。我这儿还有两瓶好酒，＿＿＿＿＿＿＿＿＿＿。（助兴）

三、交际活动：

　　　　练习"要求"的表达方式。二人一组。角色A请看附录1的交际活动42；角色B请
　　看附录1的交际活动16。

一、找出课文中表示要求的句子。

> 1. 我要预先定一个房间。
> 2. 你再填写一张登记表。

二、谈一谈：你这次到中国来，对自己有什么要求。表述的时候，请适当用上表示要求的语句。

三、交际活动：

练习"要求"的表达方式。二人一组。角色A请看附录1的交际活动29；角色B请看附录1的交际活动51。

补充词语

1. 往返	（动）	wǎngfǎn	to and fro
2. 职位	（名）	zhíwèi	job; position
3. 名称	（名）	míngchēng	title; name
4. 发布	（动）	fābù	issue; put out
5. 分公司	（名）	fēngōngsī	filiale; branch
6. 行政	（名）	xíngzhèng	administration
7. 描述	（动）	miáoshù	describe
8. 文档	（名）	wéndàng	document
9. 收支	（名）	shōuzhī	income and expenses
10. 笔译	（名）	bǐyì	translation
11. 严谨	（形）	yánjǐn	precise
12. 责任心	（名）	zérènxīn	sense of responsibility

专有名词

1. 巴黎	Bālí	Paris
2. 松下公司	Sōngxià Gōngsī	Panasonic, a Japan company

第七课

抱怨：你说，他怎么能这样

铃木：　杰克，昨天下午的太极拳课你怎么没来？教练点名了。

杰克：　管他呢？就算每次点名，我也不去了。上回我生病，上课迟到了十分钟，他就说了我
　　　　一顿，还说我带头迟到。后来他让我把学过的一套动作示范一遍。可是他当着同学的
　　　　面说我的动作不标准，还说我课后没练习，好歹我也是个班长，你说以后我在同学面
　　　　前还有面子吗？我受不了他的压迫了。你说，他怎么能这样？

铃木：　我知道你挨了批评心里不好受，可你不能遇上点儿挫折就打退堂鼓呀。王教练说你也
　　　　是为你好，再说他工作时间不长，经验还不丰富，难免在教学时会急躁点儿。

杰克：　别提了，我是个说一不二的人。这门课我不选了，不就两个学分吗！没什么大不了的。

铃木：　不是我说你，你的心眼儿太小了。再说，人家王教练都离开北京了……

杰克：　你说什么？王教练走了，真的吗？这太突然了，我还没向他认个错呢！

铃木：　听说王教练的母亲得了慢性病，为了便于照顾母亲，他调走了。

生　词

1. 教练	（名）	jiàoliàn	coach
2. 点名	（动）	diǎnmíng	call the roll

3. 带头	（动）	dàitóu	be the frist; take the initiative
4. 示范	（动）	shìfàn	demonstrate
5. 当面	（副）	dāngmiàn	to sb.'s face; before sb.'s eyes; face to face
6. 好歹	（副）	hǎodǎi	no matter in what way
7. 压迫	（动）	yāpò	oppress; repress
8. 挫折	（动）	cuòzhé	frustration; setback
9. 学分	（名）	xuéfēn	credit
10. 慢性	（形）	mànxìng	chronic
11. 调	（动）	diào	shift; transfer

注　释

❶ 管他呢

不管什么情况发生，结果是一样的。如：

① 管他呢！我们的比赛计划不变。

② 很多人都在运动减肥，管他呢，我每天睡我的懒觉。

❷ 说一不二

形容说话算数，如：

① 如果官员说一不二、办事公正，老百姓一定支持他们。

② 他说一不二，再远明天他都会赶来看你。

❸ 不就……吗

只不过，表示不在乎。如：

① 不就三四千吗？这笔钱他一个月就挣到了。

② 她不就是有个有钱的爸爸吗？可也不能瞧不起别的同学呀！

❹ 不是我说你

不是我想责备你，表示对方的做法应该受到批评。如：

① 不是我说你，你的车也该洗洗了，好像刚刚从沙漠里开出来的一样。

② 不是我说你们，你们不能喝这么多酒。

一、根据课文内容，回答问题。

1. 杰克为什么不想上太极拳课了？

2. 你觉得王教练的做法对不对？

3. 如果有同学上课迟到了，你觉得老师应当怎么做？

4. 你认为选修课的老师应当像专业课老师一样严格吗？

5. 如果老师和学生在课上发生冲突了，怎么办？

二、用指定的词语，完成对话。

1. A：大夫，我这种病最好用什么药？
   B：不要等病了才关心健康问题，平时_____。（保健）

2. A：您能给我推荐一些有益健康的活动吗？
   B：_____。（太极拳、幽默）

3. A：我做什么事都只有三分钟热度，如果刚开始学不好，我就不想学了。
   B：什么事都有个过程，_____。
   （不是我说你　急躁）

4. A：你的很多朋友都买房子、买车了，你还这么不努力！
   B：_____，我喜欢旅行，到处都是我的家。
   （管他呢）

5. A：明天帮我请个假吧，我要给一个公司当翻译，报酬很高。
   B：你这学期缺课太多了，_____。（不是我说你）

6. A：明天的朗诵比赛，我不想参加了，我一点儿信心也没有。
   B：都准备这么长时间了，_____。（打退堂鼓）

7. A：那么重的行李，怎么不打电话叫同屋到车站接你？
   B：上次吵架以后，我们已经很没有说话了。_____。（就算⋯也⋯）

A：你们早点儿和好吧，_____。（好歹）

B：我说过以后不理他了，再说_____，主动向
他道歉多没面子呀。（说一不二）

A：_____（不就…吗），你不说，我帮你跟他说。

B：你也真是的，爱管闲事。

三、交际活动：

练习"抱怨"的表达方式。三人一组。角色A请看附录1的交际活动4；角色B请
看附录1的交际活动18；角色C请看附录1的交际活动32。

（李菁和张永是一对夫妻）

李菁： 快回来吧，孩子发高烧了，一直哭着喊着叫爸爸。

张永： 不行啊，跨江大桥附近傍晚发生一起车祸，我现在得去调查情况、维持交通秩序。

李菁： 你还算人吗？这些年，你为家里做过什么？要不是你，我也不会这么辛苦劳累。真倒霉嫁给你这个没良心的人。

张永： 别埋怨了，我知道自己不是个称职的好父亲。可我是交警大队队长，怎么能在这个关键时刻离开岗位呢？

李菁： 每天你早出晚归的，你还把我们母女俩放在心上吗？你别再喊口号了，要不咱们去法庭，早点儿分手算了！

张永： 你别胡思乱想，冷静点儿。这里更需要人手啊！你先把孩子送医院，等我处理完事故立刻就赶过去。

生 词

1. 跨	（动）	kuà	span
2. 车祸	（名）	chēhuò	traffic accident
3. 调查	（动）	diàochá	investigate; inquire into
4. 劳累	（形）	láolèi	over-worked; run-down; tired
5. 良心	（名）	liángxīn	conscience
6. 埋怨	（动）	mányuàn	complain; grumble

7. 关键	（形）	guānjiàn	key
8. 岗位	（名）	gǎngwèi	post; station
9. 早出晚归		zǎochūwǎnguī	come out early and come back late.
10. 口号	（名）	kǒuhào	slogan; watchword
11. 法庭	（名）	fǎtíng	courtroom
12. 冷静	（形）	lěngjìng	calm; dispassionate
13. 人手	（名）	rénshǒu	worker; hand

注 释

① 把……放在心上

"觉得……很重要，记着……"的意思。如：

(1) 他只是随便说说，你不用生气，别把他的话放在心上。

(2) 结婚多少年了，她还是把初恋男友放在心上。我该怎么办？

一、根据课文内容，回答问题。

1. 老张、李菁是什么关系？

2. 老张是什么样的人？你觉得他是好丈夫吗？

3. 当工作影响到家庭生活时你做什么选择。

二、用指定的词语完成对话。

1. A：我想去中国银行取钱，你说什么时间去好一点儿？

   B：＿＿＿＿＿＿＿＿＿＿＿＿＿＿＿＿＿＿＿。（要么……要么……）

2. A：小丽，原谅我吧！以后我再也不拆你的信，再也不偷听你的电话了，天知道我多爱你！我真的不希望你离开我。

   B：＿＿＿＿＿＿＿＿＿＿＿＿＿＿＿＿＿＿＿。（法庭上见）

3. A：毕业都十年了，你还挂着咱们班的毕业合影。

   B：是啊，＿＿＿＿＿＿＿＿＿＿＿＿＿＿＿＿＿。（把……放在心上）

4. A：航空公司说因为SARS咱们坐的航班停飞了。

　　B：＿＿＿＿＿＿＿＿＿＿＿＿＿＿＿＿＿＿。（要不）

三、交际活动：

　　　　练习"抱怨"的表达方式。二人一组。角色A请看附录1的交际活动46；角色B请看附录1的交际活动10。

综合练习

一、完成下面的对话，并且用加色的词语做模仿会话练习。

1. A: 难道你非得把门关得那么响吗?
   B: _____

2. A: _____
   B: 他老是这样。

3. A: _____
   B: 对他说的空话我已经烦透了。

4. A: 你不要把东西乱放行吗?
   B: _____

5. A: 今天的菜怎么那么咸呀?
   B: _____

6. A: _____
   B: 他也真是的，怎么能把钱全放在家里呢?

7. A: _____
   B: 都怪你没通知我，让我白跑了一趟。

8. A: 你们就知道把东西卖出去，根本不管顾客满意不满意。
   B: _____

9. A: 真倒霉，刚买的电视看了几次就坏了。
   B: _____

二、找一找本课所出现的有关"抱怨"的语句。

三、交际活动:

    练习"抱怨"的表达方。二人一组。角色A请看附录1的交际活动34；角色B请看附录1的交际活动15。

补充词语

1. 加班	（动）	jiābān	overtime
2. 跟踪	（动）	gēnzōng	track; run after
3. 情侣	（名）	qínglǚ	lover
4. 气息	（名）	qìxī	style

话题七

广告：让人欢喜让人忧

一、辩论：

　　大家都会有这样的感受：广告已经成为我们生活的一部分，不论你走在大街上，还是在家看电视，广告都无处不在。但是不同的人对广告的看法和感受却是不一样的。有的人喜欢广告，有的人讨厌广告。现在我们就广告对社会生活的影响是利大于弊，还是弊大于利进行辩论。请同学们分成A、B两组，A代表正方，观点是：广告对社会生活的影响利大于弊；B代表反方，观点是：广告对社会生活的影响弊大于利。参考提供的小资料和提示进行辩论。

　　小资料：

　　1．4月22日晚9：00—10：00，记者对广州某电视台的广告做了一个统计，在一个小时的时间里，节目中间插播的广告共计18次。

　　2．一项调查显示，全世界平均有30%的人受广告影响购物，这个比例在中国高达60%以上。

　　3．广告收入对媒体的经营很重要，很多媒体的收入来源主要是依靠广告而不是发行。

　　4．调查表明，93.5%的18—35岁的女性都有过各种各样的非理性消费行为，其中受广告影响买了没用的东西或不当消费的女性占22.8%.

　　提示：A组请看附录1的交际活动52；B组请看附录1的交际活动28。

生 词

1. 辩论	（动、名）	biànlùn	argue
2. 弊	（名）	bì	disadvantage
3. 利	（名）	lì	advantage
4. 发行	（动）	fāxíng	distribute; put on sale
5. 不当	（形）	búdàng	unsuitable; inappropriate
6. 公益	（名）	gōngyì	commonweal
7. 反驳	（动）	fǎnbó	refute

二、评说广告：

1. 请解释下面几个广告的意思，并说出你喜欢或不喜欢的原因。

2. 随着社会的发展，广告的形式也越来越多种多样，如电视广告、电台广告、报纸广告、杂志广告、路牌广告、车身广告、楼体广告等等，哪种形式的广告你接触最多，印象最深？

杂志广告

报纸广告

电视广告

车身广告

楼体广告

路牌广告

三、广告语：

1. 广告语很简单，但要写得好却不容易。请比较下面各组不同的广告语，说说你喜欢
   哪一句，为什么？

(1)

> 关于可口可乐
>
> 可口可乐添欢笑
>
> 请喝可口可乐吧
>
> 就是可口可乐
>
> 挡不住的感觉
>
> 挡不住的诱惑
>
> 喝可口可乐，冰爽不凑合

(2)

关于太太口服液

十足女人味，太太口服液

每天送你一位新"太太"

做女人真好

(3)

手表类广告

为社会各领域，提供准确计时（精工表）

先进石英科技，准确分秒不差（梅花表）

为人民服务，为大众计时（铁达时表）

坚刚灿烂，光彩永恒（雷达表）

2. 现在手机已经是很普通的通讯工具，如果要推销手机，你会怎样设计广告词？

生　词

1. 诱惑	（动）	yòuhuò	tempt; attract
2. 十足	（形）	shízú	pure
3. 领域	（名）	lǐngyù	field
4. 石英	（名）	shíyīng	quartz
5. 灿烂	（形）	cànlàn	magnificent
6. 永恒	（形）	yǒnghéng	eternal

四、请你说：

1. 平时你会关注哪些广告？

2. 在你的国家，电视广告多不多？你对它感兴趣吗？为什么？

3. 和你的国家的广告相比，你会怎样评价中国的广告？

4. 讲述一个你印象最深或最喜欢的广告，并说明为什么。

第八课

不解：怎么中国人什么都吃

A：　怎么修自行车的师傅冲你笑呢？

B：　我上周在他那儿修过车，一回生，二回熟，见了面就打招呼喽。

A：　一回生 …… 二回熟？

B：　这有什么好惊讶的。是不是觉得中国人特别热情？

A：　我是奇怪，怎么中国人什么都"吃"？

B：　这话是什么意思？

A：　在我看来，只有吃的东西才可以说"生"和"熟"，怎么人也可以说成是生人和熟人呢？

B：　我想这跟中国的传统思想有关系，"民以食为天"，吃饭在中国是首要大事。如果用与吃饭相关的词和句子表达生活其他方面的内容，自然就更有趣、更容易理解。你说是不是？

A：　有趣是有趣，可是对我们外国人来说就不容易理解。

B：　其实汉语里有关吃的词语还真不少，仔细琢磨琢磨挺有意思的。

A：　应该说仔细品味品味，还挺有味道的。

B：　你倒是学得挺快的！从哪儿听来的？

A：　中文系的古代文学欣赏课！老师讲课的时候说，有的作品"有味道"、"品味高"，有的作品"淡而无味"、"品味低"。好的小说应当让人读完了还想读，就是说"余味无穷"。

B：　还挺像那么回事的。不过，我真是挺纳闷的，你怎么现在又喜欢古代文学了？平时你穿的衣服、听的歌可都是最时尚的。

A: 每个人都是很多面的嘛！我有时候也喜欢古典的东西。说了这么多，我真的饿了，说好今天你请我吃云南米线的，是不是？

B: 米线不用吃了，看着你就能饱。我也就不用破费了，"秀色可餐"呀！

A: 开什么玩笑？我听不懂！反正说好今天你请客的。

生 词

1. 冲	（介）	chòng	towards; facing
2. 首要	（形）	shǒuyào	chief
3. 相关	（动）	xiāngguān	be mutually related; be interrelated
4. 琢磨	（动）	zuómo	think over; turn over in one's mind
5. 品味	（动、名）	pǐnwèi	taste
6. 欣赏	（动）	xīnshǎng	appreciate; enjoy; admire
7. 余味无穷		yúwèiwúqióng	leave a lasting and pleasant impression
8. 纳闷	（动）	nàmèn	feel puzzled; wonder
9. 时尚	（形、名）	shíshàng	fad; vogue
10. 古典	（形）	gǔdiǎn	classic
11. 米线	（名）	mǐxiàn	rice noodle
12. 嚼	（动）	jiáo	chaw *chew*
13. 豹子	（名）	bàozi	leopard; panther
14. 胆	（名）	dǎn	gall bladder
15. 吃里爬外		chīlǐpáwài	eat one's food and cater to his enemy
16. 撑	（动）	chēng	fill to the point of overflowing
17. 吃力	（形）	chīlì	strenuous; painstaking
18. 吃亏	（动）	chīkuī	suffer losses; at a disadvantage situation

073

注 释

❶ 一回生，二回熟

俗语，表示人和人多交流多打交道，很快就能熟悉。

❷ 破费

花钱。用在接受别人礼物的时候，表示客气。

①每次你都带礼物来，让您破费了。

②一点儿小意思，算不上破费。

一、朗读下列和吃有关系的句子，体会它们的意思。

别贪多嚼不烂。

你吃了豹子胆了？

别想一口吃成个大胖子！

他是个吃里爬外的家伙！

吃饱了撑的！

这件工作我干得很吃力。

因为不懂当地的语言，不会谈价钱，我们又吃亏了。

他这几年都没有学习新的东西，还是在吃老本。

二、根据课文内容，回答问题。

1. 总结一下课文中提到的跟吃有关的词语，说说它们的意思。想一想这些词的意思是怎么发展来的。

2. 想象一下吃的东西，然后请你表述下面两个人的特点：
   ① 一个很甜的女孩
   ② 一个很泼辣的女人

三、用指定的么样的东西才是流行的？

A：你说什么样的东西才是流行的？

B：我觉得就是最新的最特别的，换句话说_____。（时尚）

A：我就喜欢流行的东西，有变化的生活感觉多好啊！

B：可是流行的东西很快就不流行了，_____。（古典　余味无穷）

A：现在的生活节奏太快了，_____。（品味）

B：也不一定，也许正需要一些传统的艺术来放松心情。

A：我_____。（纳闷）

B：这没什么奇怪的，我自己也在学中国的民族乐器。

A：你还来真的了！好，_____。（欣赏）

（米勒和王明参加公司的周末聚餐，在回来的路上聊天。）

米勒：　王明，我真不明白大家喝酒为什么不停地干杯，一点儿节制也没有，真叫人害怕。难道在饭桌上就不用讲究礼节了吗？

王明：　没有酒，哪能算得上是宴会呀？用酒招待客人是中国重要的社交传统，俗话说："无酒不成宴"。

米勒：　在法国我们也喜欢用酒招待客人，但是大家喝多喝少随意，而且好酒需要配上美食慢慢地、细细地品味。我不明白为什么在这里要举起满满的一杯酒，一口气喝光。

王明：　说到这个"满"字更是中国文化的特色，斟酒的时候讲究一个"满"字，主人给客人倒酒时常常说："满上满上"。俗话说："浅茶满酒"，"酒满敬人，茶满欺人"，意思都是说酒杯一定要斟满，才能表示敬意；而沏茶却要浅，一般来说倒茶倒半杯就行了。在江浙地区主人给客人敬酒，非要把酒斟得高出酒杯不可，这样才能显示出主人的诚意。

米勒：　难怪坐在我旁边的同事不停地给我倒酒，好像不愿意看见我的酒杯空着似的。我真不知道该怎么办。

王明：　让客人的酒杯空着，被认为是失礼的事情。

米勒：　那大家相互之间不停地劝酒是怎么一回事呢？我实在喝得太多了，就对一个同事说："你饶了我吧"，他好像不大高兴，我只好一咬牙喝了杯子里的酒。说实话，中国的酒文化让我困惑。

王明：　这是相互之间的敬酒，表示尊敬，别人给自己敬酒时一般不能拒绝，那样不礼貌，不过可以请人代喝。

米勒：　请人代喝多没面子呀，但是比不喝好，看来以后我去吃饭一定要带上你。

王明：　什么？你想让我代喝呀？！

生 词

1. 节制	（动）	jiézhì	control；restrict
2. 礼节	（名）	lǐjié	proprieties
3. 俗话	（名）	súhuà	folk adage; common saying
4. 随意	（形）	suíyì	with one likes
5. 美食	（名）	měishí	choice food
6. 斟	（动）	zhēn	pour wine
7. 沏	（动）	qī	make tea
8. 显示	（动）	xiǎnshì	show；display
9. 诚意	（名）	chéngyì	sincerity
10. 饶	（动）	ráo	forgive; spare

专有名词

1. 江浙　　　　　　Jiāng zhè　　　　Jiangsu Province and Zhejiang Province

注 释

❶ 饶了我吧

请求原谅或者宽恕。当对方的要求让自己感到为难的时候，用"饶了我吧"表示推辞，意思是请求对方不要为难自己。如：

①你饶了我吧，我不敢跟老板说加工资的事情，要说你自己说。

②你们饶了我吧，我真的不会唱歌。

❷ 一咬牙

表示下决心做某事，往往是自己不情愿做的事情。如：

①为了举行一场豪华的婚礼，哥哥一咬牙把心爱的跑车卖了。

②作业太多了，我们一咬牙一晚上没睡觉，终于赶完了。

练 习

一、根据课文内容，回答问题。

1. 说说你所知道的中国酒文化。

2. 你觉得喝酒是一件好事情吗，在你的国家哪些场合必须喝酒？

3. 说一说在你的国家跟酒有关的风俗。

二、用指定的词语完成对话。

A：周末开晚会，你给大家跳个民族舞吧。

B：_____。（饶了我吧）

A：看把你吓的！我们每个人都有节目，那你怎么办？

B：_____。（美食）

A：太棒了！我真的很喜欢吃日本菜。

B：你不是正在减肥吗？_____！（节制）

A：没关系，吃完了喝茶，日本的茶道很有名，_____。（沏茶）

B：没问题。你们喜欢吃什么菜，我可以早做准备。

A：_____（随意），反正我有什么吃什么。

B：可是我有要求，吃完了，_____。（特点）

A：什么？吃东西还考试啊？

三、交际活动：

练习"不解"的表达方式：

（1）二人一组。角色A请看附录1的交际活动7；角色B请看附录1的交际活动22。

（2）二人一组。角色A请看附录1的交际活动35；角色B请看附录1的交际活动13。

综合练习

一、朗读下列表示不解的句子，并且用加色的词语模仿造句。

1. 南京你都去过好几回了，干嘛还去呀？

2. 电脑在家里还是好好的，为什么到教室就出毛病了呢？

3. A：他怎么可能找不到自己的家呢？

   B：他喝醉了。

4. 我一直纳闷，怎么他拍的电影就常常获奖呢？

5. 你一会儿说恨他，一会儿又说爱他，把我弄糊涂了。

二、表演下面的一段现场访问，讨论问题。

2000年6月，一家电视台对世界著名的物理学家丁肇中先生进行访问。

记　者：我感觉您在每一个人生阶段都有明确的选择，一个人怎么能够每一次选择都这么坚定和正确呢？

丁肇中：不知道。可能比较侥幸吧！

记　者：这里面没有必然吗？

丁肇中：我不知道。

记　者：怎么能让自己在今天做出的选择，在日后想起来不后悔？

丁肇中：我不知道。因为我还没有后悔过。所以我真的不知道。

记　者：我发现在咱们的谈话过程中，您说得最多的一个词就是我不知道。

丁肇中：是！这是事实。不知道的，我绝对不能说知道。

讨论：

1. 在别人面前表达自己对问题的疑惑和不解，你认为这会让你觉得不好意思吗？

2. 在你遇到不理解的问题时，你一般怎么解决呢？

3. 说出一件令你不解的事情。

三、听一首中国歌，讨论问题。

其实你不懂我的心

演唱者：童安格

你说我像云，捉摸不定，其实你不懂我的心。

你说我像梦，忽远又忽近，其实你不懂我的心。

你说我像谜，总是看不清，其实我永不在乎掩藏真心。

怕自己不能负担对你的深情，所以不敢靠你太近。

你说要远行，暗地里伤心，不让你看到哭泣的眼睛。

怕自己不能负担对你的深情，

所以不敢靠你太近。

你说要远行，暗地里伤心，

不让你看到哭泣的眼睛。

讨论：

1. 歌中的人为什么让人看不懂？为什么令人不解？

2. 你觉得中国人在表达感情方面比较含蓄还是比较直接？你是怎么体会中国人之间的感情的？（父母和孩子之间、朋友之间、恋人之间……）

补充词语

1.	红绿灯	（名）	hónglǜdēng	traffic lights
2.	排队	（动）	páiduì	queue up , line up
3.	物理学家	（名）	wùlǐxuéjiā	physicist
4.	获奖	（动）	huòjiǎng	bear the palm
5.	坚定	（形）	jiāndìng	firm; stable
6.	侥幸	（形）	jiǎoxìng	fluke; lucky
7.	必然	（名、形）	bìrán	inevitable; certain ;necessary
8.	日后	（名）	rìhòu	in the future; in the days to come
9.	过程	（名）	guòchéng	process; course
10.	绝对	（副、形）	juéduì	absolutely
11.	谜	（名）	mí	riddle; enigma
12.	在乎	（动）	zàihu	care about; mind
13.	负担	（动、名）	fùdān	burden
14.	掩藏	（动）	yǎncáng	hide; conceal
15.	哭泣	（动）	kūqì	weep
16.	含蓄	（形）	hánxù	(of ideas, feelings) reserved

第九课

羡慕：你们每天都可以接触大自然，真幸运

（周末，何大明在一个很大的超市里见到一个名叫李自然的熟人。）

李自然：　大明，我们搬到农村去了。

何大明：　好家伙！你怎么说搬就搬？说说看，农村生活有什么好处？

李自然：　早上可以听到鸟儿歌唱，写作之余在河边散步，生活真是太美好了。

何大明：　真叫人羡慕！我在家里打开窗户，只能看到别人家的窗户，或者是人来人往的大马路。

李自然：　我的孩子也特别喜欢现在的生活，他们可以自由地奔跑，也可以单独骑车出去，我和太太也不必提心吊胆地到处陪着他们，怕出意外。

何大明：　别说是孩子，就连我也非常向往这种自由自在的生活。要是城市像农村一样空气新鲜、阳光明媚，那该多好啊！你们真幸运！大家都说在农村住的人往往健康长寿。

李自然：　空气污染和水污染的确会损害健康，我和家人商量了很久才下决心搬家的。在农村很少有交通噪音，而且邻居也比较朴实、比较和气，并且吃住都很便宜。

何大明：　要是我也能跟你们一样该多好啊！

李自然：　如果你想搬去也可以，那里还有空房子。

何大明：　我可不像你，你是作家，住在哪儿都影响不了工作。我呢？我是一个职员，常常要坐班，哪里走得了啊！

李自然：　话是这么说，可你也可以尝试一下别的工作嘛。

何大明：　可我还是舍不得这里的舒适生活。虽说农村很宁静，但是我怕寂寞。虽说城市有很多噪音，毕竟热闹多了。如果我不想呆在家里，可以下馆子吃饭、去听音乐会或者去看电影，业余生活多丰富呀！不过，我还是羡慕你们，住得那么宽敞，还可以养狗。

李自然：　如果你实在想体验一下农村的生活，可以抽空去我家住一阵子。忘了告诉你，我家门口有个水库，到时候我带你去钓鱼！

生　词

1. 接触	（动）	jiēchù	come into; contact with
2. 大自然	（名）	dàzìrán	nature
3. 好家伙	（叹）	hǎojiāhuo	(express surprise or admiration) good god; good heavens
4. 歌唱	（动）	gēchàng	sing
5. 写作	（动）	xiězuò	writing (or literary creation in particular)
6. 奔跑	（动）	bēnpǎo	run
7. 单独	（形）	dāndú	by oneslf; on one's own
8. 提心吊胆		tíxīndiàodǎn	have one's heart in one's mouth; be in fear of
9. 自由自在		zìyóuzìzài	free; unrestrained
10. 明媚	（形）	míngmèi	(of scenery) lovely; bright and beautiful
11. 长寿	（形）	chángshòu	long life; longevity
12. 损害	（动）	sǔnhài	damage; hurt
13. 噪音	（名）	zàoyīn	noise
14. 朴实	（形）	pǔshí	plain; simple
15. 尝试	（动）	chángshì	attempt
16. 宁静	（形）	níngjìng	peaceful
17. 宽敞	（形）	kuānchang	spacious
18. 一阵子	（量）	yízhènzi	a burst ; for a while
19. 水库	（形）	shuǐkù	reservoir

注 释

① 好家伙！

表示强烈的语气，可以表示惊讶、不满和赞叹。如：

① 好家伙！这么贵的酒！

② 好家伙！你买这么贵的房子。

② 说……就……

说到什么马上就去做，行动快或者性子急。如：

① 咱们说去就去，我马上订飞机票。

② 雨说下就下了，来不及找地方躲雨。

一、根据课文内容，回答问题。

1. 请简单描述一下李自然和何大明的职业、家庭和爱好。

2. 何大明喜欢城市还是喜欢农村？

3. 你喜欢现在居住的城市吗？说一说城市生活的特点。

4. 你去过农村吗？农村生活有哪些方面让你觉得不方便，还有哪些方面让你觉得很喜欢？

二、用指定的词语完成对话。

1. A：你怎么晒这么黑呀，又去哪儿旅行了？

B：去看大海了，＿＿＿＿＿＿＿＿＿＿＿＿＿＿＿＿＿。（景色、接触，大自然）

A：当作家真好，不用坐班，＿＿＿＿＿＿＿＿＿＿＿＿＿＿。（自由自在）

B：＿＿＿＿＿＿＿＿＿＿＿＿＿＿＿＿＿＿＿＿。（话是这么说，写作）

A：我看你挺喜欢农村的，一有空就往农村跑。

B：我小时候就住在农村，习惯了。而且，＿＿＿＿＿＿＿，（朴实、和气），我挺喜欢跟他们交往的。

A：不好意思，问您一个私人问题。您现在已经是个成功的作家了，有没有考虑过结婚，建立一个家庭。

B：家庭对一个女性来说的确算是件大事，不仅仅是你，＿＿＿＿＿＿。（连……也……）

A：大家都是出于对你的关心。

B：可是这种关心给我带来了压力，从我自身来说，我并不急着结婚。因为＿＿＿＿＿
＿＿＿＿＿＿＿＿＿＿＿＿＿＿＿＿＿＿＿＿＿。（单独、宁静、美好）

A：你的小说有一些是描写家庭生活的，可是＿＿＿＿＿＿＿＿＿＿。（体验）

B：我可以去观察、去体会，作家不可能体验所有的生活，但是他们必须有过人的观
察力和想象力。

2．A：你去看他的新家了吗？

B：什么？＿＿＿＿＿＿＿＿＿＿＿＿＿＿＿＿＿＿＿＿＿＿＿？（搬家）

A：是啊，而且买了新家具和新电视机。＿＿＿＿＿＿＿＿＿＿！（好家伙，屏幕）

B：他这人做决定真够快的，＿＿＿＿＿＿＿＿＿＿＿＿＿。（说……就……）

A：大家都觉得奇怪，＿＿＿＿＿＿＿＿＿＿＿＿＿＿＿。（别说……就是……）

B：他原来的房子也不错呀，而且不贵。

A：听他说，＿＿＿＿＿＿＿＿＿＿＿＿＿＿＿＿＿＿。（房租，噪音）

B：是啊，现在搬到郊区，空气新鲜，＿＿＿＿＿＿＿＿＿＿＿。（宽敞）

A：年轻人真是懂得享受生活，真羡慕他们。

三、交际活动：

练习"羡慕"的表达方式。三人一组。二人为A组请看附录1的交际活动25；一人
为B组请看附录1的交际活动54。

（清晨，留学生汉斯在学校的操场上碰到了竹内谦。）

汉　斯：怎么忽然对跑步感兴趣了？

竹内谦：我要是有你那么结实的身体就不跑了。

汉　斯：你的身体怎么啦？看上去挺健康的。

竹内谦：咳，人不可貌相嘛，我也不知道怎么回事，老是感冒。上个月好容易通过旅行社订
　　　　到了去西藏的优惠机票，都准备出发了，可又感冒发烧了，只好放弃了旅行。

汉　斯：太可惜了。要知道，西藏的天空纯净碧蓝，寺院庄严雄伟，真是太美了。

竹内谦：这么说，你去过西藏了？羡慕死我了。

汉　斯：去年暑假去的。我原来没有去西藏的计划，因为太贵了！后来，学校的新闻社要去
　　　　西藏采访，缺一个搞摄影的，问我有没有兴趣？免费旅游，我当然有兴趣了，就去了。

竹内谦：你的运气怎么这么好啊！要是我也有这样的运气该多好！

汉　斯：你呀，先得有毅力，坚持跑步，把身体锻炼好，没有好的身体可是去不了西藏的，那
　　　　儿是高原！

竹内谦：那你有没有高原反应？

汉　斯：没有。

竹内谦：你太厉害了！平时你都做些什么样的运动？

汉　斯：我喜欢踢足球。别看我平时挺斯文的，一上球场就变样了。我可是一个进攻型球员，
　　　　为了抢球还会拉人犯规。

生　词

1. 结实	（形）	jiēshi	strong; sturdy
2. 纯净	（形）	chúnjìng	pure; simple and clean
3. 毅力	（名）	yìlì	will power: will
4. 斯文	（形）	sīwén	refined; gentle
5. 犯规	（动）	fànguī	foul; break the rules or regulation

注　释

❶ 人不可貌相

俗语，意思是不能根据一个人的外貌来判断他的性格和才能。如：

① 她每天很少说话，居然在演讲比赛中得了第一名，真是人不可貌相。

② 哥哥很高很大，可是很怕狗，所以人不可貌相。

一、 根据课文内容，回答问题。

1. 说一说汉斯和竹内谦两个人的身体情况和性格特点。

2. 你喜欢什么运动，谈一谈你参加这种运动的历史。

3. 在你的国家什么运动最受欢迎？说一件跟这种运动相关的事情。

二、 用指定的词语完成对话。

A：你希望自己的男朋友是什么样子的？

B：＿＿＿＿＿＿＿＿＿＿＿＿＿＿＿＿。（斯文）

A：对身体健康没有要求吗？

B：当然有，＿＿＿＿＿＿＿＿＿＿＿＿。（结实）

A：你对什么样性格的男士有兴趣？

B：最好比较轻松幽默，而且＿＿＿＿＿＿＿＿＿＿＿＿＿＿＿。（毅力）你问这
么多干什么？你要帮我找男朋友啊？

A：不用找，眼前就有一个！

B：你呀！别开玩笑了。你跟我刚才说的情况一样吗？

A：_____(人不可貌相)，你一定会越来越喜欢我的。

三、交际活动：

练习"羡慕"的表达方式。二人一组。角色A请看附录1的交际活动48；角色B请看附录1的交际活动23。

一. 朗读下面的句子，体会羡慕的表达方法，然后用**加色的**词语模仿造句。

  1. 我**羡慕**那些经常有机会旅行的人。

  2. 我真是**羡慕**她，活得那么快乐。

  3. 你的儿子这么聪明，真**令人羡慕**。

  4. 你**运气真好**，你的论文导师是全国知名的专家。

  5. 工作好，家庭也幸福，你**真幸运**！

  6. **要是**我也有你那么新的车**多好啊**！

  7. 你**真有福气**，出生在一个教师家庭。

  8. 看他刚刚买的房子，**多**宽敞**啊**！

二. 根据资料，设计一个采访的对话。

  资料如下：

  中国日报的记者的问题：现在中国不同行业的人最羡慕什么？

  ☞ 办公室职员羡慕：

  1. 拥有幸福美满的家庭的人

  2. 身体健康，充满活力的人

  3. 知识渊博，靠智慧吃饭的人

  ☞ 开服装店的女老板羡慕：

  1. 学历高的人

  2. 有稳定工作，固定收入的人

  ☞ 美发店的美发师羡慕：

  1. 有时间到大自然中度假休闲的人

  2. 有机会读书、听音乐会，陶冶情操的人

三、你现在最羡慕什么人？为什么？在表述中适当用上表示羡慕的语句。

补充词语

1. 度假	（动）	dùjià	take a holiday
2. 陶冶	（动）	táoyě	mould; cultivate; exert a favourable influence on sb.

3. 情操	（名）	qíngcāo	taste; temperament
4. 固定	（形）	gùdìng	fixed; regular
5. 美满	（形）	měimǎn	happy; perfectly satisfactory
6. 渊博	（形）	yuānbó	be broad and profound; erudite

第十课

谦虚：不敢当，不敢当，我哪里有那么出色

怎么才算是成功的创作型歌手呢？

写好每一首歌，唱好每一首歌，能表达自己的想法……

（一个电视娱乐节目对一位流行歌手进行访谈。）

主持人： 你最近获得了"最受观众欢迎的歌手"奖，许多歌迷把你视为自己的偶像，甚至一些年轻的歌手都把你当做自己的榜样。

歌　手： 不敢当，不敢当，我哪里有那么出色？我只是个热爱音乐的人罢了。

主持人： 不管怎么说，能得这个奖，说明你已经得到观众的认可，没有充分的实力是做不到这一点的。你觉得是什么促成你今天的成功呢？

歌　手： 说不上成功吧，只是取得了一点点成绩。这首先要感谢广大歌迷朋友对我的鼓励和支持。说实话，我算不上是那种天生搞音乐的人，我的嗓音条件也不是特别好，当初想当歌手完全是出于对音乐的一种狂热。

主持人： 据说你最初发展得并不顺利，但是你今天却能取得这样的成就，大家都觉得你是一个不服输的人。

歌　手： 我刚出道的时候主要是模仿当时有名的歌星，很长时间都找不到自己的出路，心里头多少有些迷茫。

主持人： 后来怎么找到自己的演唱风格的呢？

歌　手： 后来我从演唱向创作过渡，在写歌的时候发现了自己，找回了自信。

主持人： 那你觉得现在的歌手怎么样？唱片公司花心思包装歌手，和流行歌手相关的往往是

多姿多彩的时装和千变万化的新闻。

歌　手：　我只懂得写歌、唱歌，根本不懂怎么评价别的歌手。但我相信真正热爱音乐的歌手会用心创造美妙的音乐，去打动听众，赢得歌迷的尊敬和喜爱。

主持人：　你觉得怎样才算是成功的歌手呢？

歌　手：　叫我说呢，音乐是永恒的，而歌手的艺术生命却很短暂。对我来说，现在能写好每一首歌，唱好每一首歌，能够用音乐来表达自己的一些想法和感情我就很满足了。这可能就是我所理解的成功。现在的这份快乐和热情是最重要的。

主持人：　我们谈论永恒的时候会觉得自己很微小，所以我要为你现在的这份快乐和热情鼓掌。

生　词

1. 偶像	（名）	ǒuxiàng	idol
2. 认可	（动）	rènkě	accept; confirm
3. 促成	（动）	cùchéng	help to bring about
4. 嗓音	（名）	sǎngyīn	voice
5. 狂热	（形）	kuángrè	mad; feverish
6. 服输	（动）	fúshū	admit defeat
7. 出道	（动）	chūdào	begin a job or launch a career
8. 迷茫	（形）	mímáng	confused; confounded
9. 过渡	（动）	guòdù	transition; interim
10. 包装	（动、名）	bāozhuāng	pack; package
11. 多姿多彩		duōzīduōcǎi	varied; colourful
12. 千变万化		qiānbiànwànhuà	ever-changing

注　释

❶ 不管怎么说

表示不论什么情况都改变不了现有的情况。表示希望接受某一现实。如：

① 不管怎么说，她已经长大了，应该自己作决定了。

② 我知道你们很忙，可是不管怎么说在新年总要回家看看父母吧。

❷ 多少有些

意思是程度不高，多用于表达不如意的、令人不满意的感觉。如：

① 虽然我已经复习了很长时间了，可是考试的时候还是多少有些紧张。

② 等了很久，那位歌星还没有上台，观众多少有些失望。

3 叫我说

发语词，表示按照自己的想法对某事发表意见，相当于"我的看法是"。如：

① 叫我说，还是当猴子好，不需要考虑买房子的问题。

② 叫我说，结婚还是比不结婚好。

练 习

一、据课文内容，回答问题。

1. 介绍一位你最喜爱的歌手，讲一讲他（她）的故事以及音乐风格。

2. 你觉得事业的成功需要什么条件？

3. 音乐可以为我们的生活带来什么？

二、请用指定的词语完成对话。

A：你现在出名了，你知道不知道？_____。（偶像）

B：怎么那么多同学都知道我呢？

A：上个月你参加歌唱比赛，为学校增了光，大家都在电视上看见你了。你得了第一名，太厉害了！

B：_____。（不敢当　实力）

A：别谦虚了，_____。（不管怎么说　出色）

B：其实很多参加比赛的歌手唱得比我好，而且他们还有精彩的舞蹈表演。

A：我还是觉得你唱得最好，很有感情，那些服装和舞蹈_____。（包装）

B：有个唱片公司找我，要为我出唱片。可是_____。（迷茫）

A：多好的事啊！应该高兴才对。叫我说，_____。（嗓音）

B：可是叫我现在放弃学习，_____。（多少有些）

A：别犹豫了，我看_____（天生）。

B：是啊，快毕业了，反正也要找工作了。

三、交际活动：

练习"谦虚"的表达方式。二人一组。角色A请看附录1的交际活动8；角色B请看附录1的交际活动39。

2

（留学生京子坐出租车回学校）

京子： 师傅，听你的口音好像不是本地人。现在很多外地人到广州来开出租车，干这行一定
挣不少钱吧？

司机： 大家都这么想，有的还说我们一个月能挣七八千呢！哪儿有那么多？不过是混口饭吃
罢了，说真话，如果真有那么多我就高枕无忧了。

京子： 那您觉得干这一行好吗？

司机： 比上不足，比下有余吧。在餐厅当服务员或者当个送水工、送报工什么的，确实太劳
累了。可是我们也不轻松，比如说吃饭就很难做到定时定点，一天的大部分时间都耗
在了车上，根本没有业余时间，不过下班的时间好打发，睡个好觉就够了。

京子： 可很多内地人都挺羡慕你们的，都觉得能在广州打工很幸运！

司机： 说幸运不敢当，在广州机会的确很多，可是要找到真正适合自己的工作不容易。这里
的花费也大，衣食住行都得自己花钱，到年底回老家少不了给亲戚朋友带上一点儿礼
物，这样一算，能攒上的钱就不多了。对于那些平时花钱大手大脚的人来说，弄不好
连回家的路费都不够。

京子： 我觉得您开车的技术不错，挺稳的。

司机： 你过奖了。在你们有文化的人眼里，开车算不上什么技术了，只要学了，都会开。

京子： 听说现在出租车司机也要考什么资格证了？

司机： 是啊，政府交通部门要求我们参加"出租汽车司机资格考试"，考试内容包括：城市线
路图、英语口语和普通话。说实话，我挺有危机感的，怕有一天自己跟不上时代的要
求，连出租车也开不了了。

京子： 好好准备吧，一定没问题。我今天也要参加汉语听力的考试。

司机： 弄了半天，你不是中国人！

生　词

1. 口音	（名）	kǒuyīn	accent
2. 本地	（名）	běndì	local; native
3. 打发	（动）	dǎfa	kill time
4. 耗	（动）	hào	consume; cost
5. 攒	（动）	zǎn	save money
6. 路费	（名）	lùfèi	travelling expenses
7. 部门	（名）	bùmén	branch; department
8. 资格	（名）	zīgé	qualification
9. 危机	（名）	wēijī	crisis

注　释

❶ 高枕无忧

　　成语，表示目前的情况平安无事，不用担心害怕。

❷ 少不了

　　表示某事或者某种情况一定会发生，不可避免。如：

　　① 大家第一次来中国，少不了会遇上一些困难。

　　② 孩子考上大学了，亲戚朋友们知道了少不了要庆贺一下。

❸ 弄不好

　　引导事情的结果，一般是指估计如果某事没做好会产生的严重结果。有劝说对方放弃行动的意思。如：

　　① 你不要随便问女士的年龄，弄不好她们会生气的。

　　② 爸爸不该辞职出来做生意，他这么大年纪，弄不好会累病的。

练习

一、根据课文内容，回答问题。

　　1. 在你的国家收入是不是不能问的私事？

2．如果有人问你每个月的收入，你怎么回答？

3．想一想出租汽车司机的苦和乐。谈谈你对这个职业的看法。

二、用指定的词语完成下面的对话。

A：现在还在当翻译吗？

B：当着呢。我暑假要去旅行，_____。（挣　路费）

A：还是你们英语国家来的学生好找工作，_____。（高枕无忧）

B：不一定，其实_____。（危机感）

A：不是干得挺好的吗？

B：现在学习英语的中国人越来越多，而且学得很好，_____。（口音）可能以后英语就成了他们的工作语言了，那我就要失业了。

A：那更好，你可以当英语老师呀！

B：现在当英语老师也不容易呀，_____。（教育部门　教师资格）

三、交际活动：

练习"谦虚"的表达方式。二人一组。角色A请看附录1的交际活动50；角色B请看附录1的交际活动19。

一、朗读下面表示谦虚的句子，然后用加色的词语模仿造句。

1. 唱得不好，让各位**见笑**了。

2. 既然大家都要我说两句，我只好**献丑**了。

3. 说我是专家，这我**可不敢当**，我只不过比大家多教了几年书而已。

4. 今天给大家放的是我们刚刚拍成的电影，一定还有很多不足的地方，请大家**多多指教**。

5. A：你今天的讲演太精彩了，许多学生强烈要求您为他们签名。
   B：您**过奖**了，我只不过简单介绍了一下自己的留学感受。

6. A：您的德语说得太好了，听不出一点儿口音。
   B：**哪里哪里**，还差得远呢。

7. A：你的家装修得真漂亮。
   B：**马马虎虎**！

8. A：多亏你在我失业的时候帮助了我，太感谢你了。
   B：我只是尽了一点儿朋友的力，**不值一提**！

9. A：跟你谈了几句话，我的收获真大。
   B：看你，说哪儿去了，**随便聊聊**罢了。

二、找出课文中所有表示谦虚的语句。

三、根据下面的资料，进行讨论。

1. 根据美国作家理查德·尼尔森的书《求职手册》，在求职面试中，如果你缺少自信将遭到拒绝，不自信的表现是：

   * 持续地作自我批评

   * 过分地降低自己的成就与能力

   * 声音太低别人听不到，或者声音太高，很远的房间都能听到

   * 回答问题极其犹豫

2. 中国古语：

* 谦受益，满招损：谦虚给自己带来好处，骄傲自满会带来伤害。

3. 中国俗语、成语：

* 枪打出头鸟：如果一个人过分表现自己，会首先被打击，处于很危险的情况。

* 树大招风：比喻名声大了或者财产多了容易招致别人的嫉妒、议论，给自己的生活带来麻烦。

4. 著名的相声演员马三立：我算不上是什么名人，真正伟大的是观众，他们是我们的衣食父母。没有爱相声的人，我们说相声的就没有饭吃。

讨论：

1. 谦虚就代表不自信吗？

2. 在现代社会谦虚有没有必要？

3. 在哪些场合，你认为还会用到谦虚的表达。

四、听一首歌，讨论问题。

这是一首20世纪80年代在中国非常流行的歌曲：

小 草

没有花香　没有树高
我是一棵无人知道的小草
从不寂寞　从不烦恼
你看我的伙伴遍及天涯海角
春风啊春风你把我吹绿
阳光啊阳光你把我照耀
河流啊山川你抚育了我
大地啊母亲把我紧紧拥抱

问题：

1. 你觉得从这首歌你能看出当时中国人的什么样的性格特征？

2. 有人说"不想当将军的士兵不是好士兵"，就是说不能对自己的能力太谦虚，要重视自己。如果每个人都只是想做一棵小草，你觉得世界会怎么样？谈一谈你对这种"小草精神"的看法。

补充词语

1. 辅导	（动、名）	fǔdǎo	coach; tutor; guide
2. 解释	（动）	jiěshì	explain
3. 忍不住	（动）	rěnbúzhù	can't help doing sth.
4. 引起	（动）	yǐnqǐ	give rise to; lead to; cause; make
5. 伙伴	（名）	huǒbàn	partner; companion
6. 遍及	（动）	biànjí	extend or spread all over
7. 天涯海角		tiānyáhǎijiǎo	the remotest corners of the earth; far apart
8. 照耀	（动）	zhàoyào	shine
9. 抚育	（动）	fǔyù	care for and educate children
10. 拥抱	（动）	yōngbào	hug; embrace

第十一课

听任：怎么都可以，我好说，你们安排吧

保板俊：　看你愁眉不展的样子，一定没买到票。

格　林：　还说呢，都是你。我说要提前半个月买票，你偏说提前一个星期就行了。

保板俊：　我也没想到会这么抢手。来，先吃饭吧。

格　林：　不吃。

保板俊：　爱吃不吃，我可吃了啊。刚才等你回来，我都饿死了。现在的电视转播技术很高，按理说在电视上看球赛看得更清楚，而且还能听到讲解和评论，我就不明白为什么非要特地去现场观看？

格　林：　看电视哪儿能跟现场相比？效果差远了！怎么说呢，缺少真实感，也没有紧张的气氛。

（留学生麦克走了进来）

麦　克：　格林，买到票了吗？

保板俊：　买什么呀，早卖完了。

麦　克：　既然买不到票，到时候咱们聚在一起看电视直播吧，那样热闹。找个餐厅，好不好？

保板俊：　怎么都可以，我好说，你们安排吧。

麦　克：　格林，你的意见呢？

格　林：　反正都看不到现场比赛了，去哪儿都行，随便你们吧。

生　词

1. 愁眉不展　　　　　chóuméibùzhǎn　　pull a long face
2. 转播　　　（动）　zhuǎnbō　　　　relay
3. 讲解　　　（动）　jiǎngjiě　　　　explain
4. 评论　　　（动）　pínglùn　　　　remark on; comment on
5. 特地　　　（副）　tèdì　　　　　specially
6. 观看　　　（动）　guānkàn　　　　watch; look

注　释

①　还说呢

要求对方不要提某事，接着对方的话，指出对方的问题或者不足，表示埋怨的语气。

① A：你怎么走回来了？干吗不打电话叫我去接你？

　　B：还说呢，你的电话一直占线。

② A：你为什么不坐呀？

　　B：还说呢，你看看这椅子多脏！

②　都是

引导出原因，后面的结果完全是这个原因造成的。表示责备的语气。

① 都是你，每天左一个电话，右一个电话，让我没办法写好论文。

② 都是你让我买车，现在我连喝啤酒的钱都没有了。

③　抢手

指（货物等）很受欢迎，人们争先购买。如：

① 这么漂亮的毛衣才卖一百块钱，难怪这么抢手了。

② 新年音乐会的门票可抢手了，两天就卖完了。

④　爱吃不吃

"爱……不……"，说话人对某人或某事不在乎，带有不满或不耐烦的语气。如：

① 你爱听不听，反正我把该说的都说了。

② 爱高兴不高兴，他做得不对，别人还不能说两句？

⑤　怎么说呢

表示不知道怎样说才好，有时是考虑怎样表达清楚，有时是考虑不伤害对方。如：

① 为什么我们没有录用你？怎么说呢，可能是参加面试的人太多了。

② 你问我怎么到现在还是一个人，怎么说呢，我不喜欢有人管着我。

一、用指定的词语完成对话。

A：给小梅的情书送出去了吗？

B：＿＿＿＿＿＿＿＿＿＿＿＿＿。（还说呢）

A：我可是按照你的意思写的呀，要浪漫、感人。

B：她都不理我了，＿＿＿＿＿＿＿＿＿＿。（都是）

A：那你说清楚，到底什么地方写得不好。

B：＿＿＿＿＿＿＿＿＿＿＿＿＿。（怎么说呢）

A：不会吧，我觉得"走狗"是个很好的词呀！

B：running dog 在英语中的确有很好的意思，但是在汉语里的意思太糟糕了。

A：看你，＿＿＿＿＿＿＿＿＿＿＿＿＿＿＿＿＿（愁眉不展），我跟她解释解释就是了。

B：不用了，越解释越糟糕。

二、根据课文内容，回答问题。

1. 你看过现场的体育比赛吗？你觉得跟在电视上看比赛有什么不同？

2. 为什么有那么多人为球赛疯狂呢？说说你的看法。

3. 有人说现在体育也是一种商业，你同意这种说法吗？说出你的理由。

三、交际活动：

练习"听任"的表达方式。二人一组。角色A请看附录1的交际活动26；角色B请看附录1的交际活动43。

安路尔： 你这些天都去哪儿了？晚上睡觉的时候不见你回来，早上醒来你又走了。

木　德： 说来话长，我给一个广告公司当模特儿，忙着呢！

安路尔： 当模特？不过你当模特儿是挺合适的，一张典型的欧洲人的脸，身材又好。

木　德： 快告诉我这几天的作业，我得赶紧做，下午还得去上班。

安路尔： 今天是周末，你还要上班？你有四天没上课了吧？可得小心，缺课超过一定的节数，
　　　　　是不能参加考试的。

木　德： 你别吓唬我！

安路尔： 谁吓唬你？这是学校的规定。

木　德： 我当模特，一天能挣500元呢！一个人的时间和精力都有限，我这么两头跑，都快
　　　　　累死了！还是先挣钱吧，能不能考试，我也管不了那么多了。

安路尔： 要我说还是先别当模特了。这学期都快结束了，前面学得好好的，到头来不能参加
　　　　　考试，多不值啊！

木　德： 你是公费生，对你来说成绩单很重要。我嘛，是自费生，学多少，算多少。

安路尔： 即便成绩不重要，身体总重要吧，这么没日没夜地干，迟早要累垮的。

木　德： 那难道有钱不挣？年轻的时候不拼，等老了再拼？

安路尔： 得，就当我什么也没说，你想怎么做就怎么做，跟我有什么关系。

生 词

1. 模特儿	（名）	mótèr	model
2. 典型	（名）	diǎnxíng	representative
3. 缺课	（动）	quēkè	miss a class; be absent from the lecture (lesson)
4. 吓唬	（动）	xiàhu	frighten; scare
5. 精力	（名）	jīnglì	energy
6. 有限	（形）	yǒuxiàn	limited
7. 垮	（动）	kuǎ	fall; break down

注 释

❶ ……着呢

用于形容词性的短语后面表示肯定某种状态或者性质，相当于"非常、很"。如：

① 我们国家的球队踢球踢得好着呢！

② 考试难着呢！说不定考不及格呢。

❷ 说来话长

插入语，意思是要说的事情不是一两句话能说清楚的，需要从头细细地说。含有感慨很深的口气。如：

① A：你怎么没上大学？

B：说来话长，我的姐妹很多，家里没有那么多钱付学费。

② A：你怎么有个妹妹在美国呢？

B：说来话长，我的父母年轻时分手了，母亲带妹妹去了美国。

❸ 到头来

"到最后，最后的结果（多是不好的结果）"的意思。如：

① 找个脾气那么差的男朋友，到头来苦的是你自己。

② 做生意可不是小事，闹不好到头来别人发财，自己却两手空空。

练 习

一、用指定的词语完成会话。

A：下午去打球，怎么样？

B：我去不了，下了班我还有其他的工作，_____。（……着呢）

A：我看你这么没日没夜地干，_____。（垮）

B：_____。（吓唬）

A：我可不是跟你开玩笑。我们这个年龄的，累死的、忙死的，多了。别那么卖命，_____就不值了。（到头来）

二、根据课文内容，回答问题。

1. 你觉得一边学习一边工作好不好，说说你的理由。

2. 谈谈你对木德的看法。

3. 你自己是怎样学习汉语的呢？

三、交际活动：

练习"听任"的表达方式。二人一组。角色A请看附录1的交际活动17；角色B请看附录1的交际活动36。

综 合 练 习

一. 朗读下面表示听任的句子，用加色的词语模仿造句。

　1. 说那么多也没用，孩子会反感的，**听其自然**吧。

　2. 每个人有自己的打算，他想去哪里留学是他自己的事情，**随他去**吧。

　3. 算了吧，坐飞机就坐飞机吧，**只要能到那儿就行**。

　4. A：你说买国产的冰箱好，还是买进口的？
　　　B：**什么都行，随你的便**。

　5. A：你看这次旅行是坐火车去还是坐飞机去？
　　　B：**怎么着都行，随你的便**。

104

　6. 反正是她自己的钱，她**爱怎么花就怎么花**，随她去吧。

　7. **既然**你们都已经商量好了，那就**只好**这样吧。

　8. 吃**什么海鲜都行**，我没意见。

二、交际活动：

　　　练习"听任"的表达方式。二人一组。角色A请看附录1的交际活动57；角色B请看附录1的交际活动12。

三、讨论。

　对于朋友的决定，你采取什么样的态度？
　　A：爱管闲事型：
　　　一定要打听清楚事情的具体情况，为朋友提供建议，并且希望等待一个好的结果。
　　B：听其自然型：
　　　听任朋友自己的安排，相信每个人有自己的眼光，不想干涉朋友的私事。

　问题一：你属于哪种类型的朋友？说一说你这么做的理由。

　问题二：你希望有哪种类型的朋友？为什么？

补充词语

1. 调制	（动）	tiáozhì	mix(cocktail)
2. 鸡尾酒	（名）	jīwěijiǔ	cocktail
3. 场所	（名）	chǎngsuǒ	location; place
4. 方言	（名）	fāngyán	dialect
5. 差异	（名）	chāyì	difference

第十二课

引入话题：没错，我也有同感

老李： 你现在还经常去"老年俱乐部"吗？

老马： 我很久都没去了。你呢？还经常去那里侃大山吗？

老李： 我每礼拜至少去一次。要是哪个礼拜不去，心里还觉得空荡荡的呢！你在瞎忙些什么呀？你孩子不都已经工作了吗？

老马： 那是大的，还有一个小的正上高中呢，该考大学了。

老李： 你有两个孩子呀？真是有福气！

老马： 什么福气呀，以前都说孩子多是"多子多福"。可是，你看我现在都60多了还在为他们操心。

老李： 俗话说：养儿防老。孩子多，家里热闹。不像我，只有一个孩子，还不在身边。有时觉得挺冷清的！

老马： 还是独生子女好，看你现在多省心。虽说我有两个孩子，等我老了也不指望他们，动不了的时候我自己就去敬老院养老。

老李： 提起孩子，我也是有一肚子话要说。要我说呀，我们这个年纪的人，辛苦一辈子，就是不知道享福。你看人家外国，孩子十八岁就独立了，父母也轻松。所以呀，要学会放松自己。

老马： 没错，我也有同感。对了，我差点儿忘了，你的孩子不是在美国留学吗？现在怎么样？我孩子也打算出去看看，很想了解一下这方面的情况。

老李： 你看你，真是一个劳累命。

生　词

1. 侃	（动）	kǎn	chat
2. 礼拜	（名）	lǐbài	week
3. 空荡	（形）	kōngdàng	empty
4. 瞎	（副）	xiā	blind; to no purpose
5. 高中	（名）	gāozhōng	senior high school
6. 福气	（名）	fúqì	good luck
7. 防	（动）	fáng	defend; guard against
8. 独生子女		dúshēngzǐnǚ	single child
9. 省心	（动）	shěngxīn	save worry
10. 指望	（名、动）	zhǐwàng	expect
11. 放松	（动）	fàngsōng	relax

注　释

❶ 侃大山

聊天的意思。如：

① 周末，我常和几个朋友在一起侃大山。

② 他这个人最喜欢侃大山了。

❷ 养儿防老

过去，很多中国人认为，老了以后主要由儿子照顾自己的日常生活，因此有这样的说法。

❸

提起

"提起……"引出话题。如：

① 提起张良，大家没有不夸他的。

② 提起儿子上学的事，我就头疼。

一、选择适当的词语填空。

（操心　命　省心　放松　礼拜　享福　高中　独生子女　指望）

现在的中年人，没有几个工作不紧张的。好不容易盼到每个_____有两个休息日了，可还是觉得_____得不够。究其原因，主要是心理上的压力太大了：既要_____工作，又要_____孩子。虽说现在的父母都不_____孩子养老，让这些孩子们_____了，可家长们个个都是劳累_____。中国的很多家庭中都是_____，他们从小学到_____，都十分_____。一到大学里，很多人的缺点就暴露出来了。

二、根据课文内容，回答问题。

1. 老李常去老年俱乐部做什么？

2. 老马为什么还在操心？

3. "独生子女"是什么意思？

4. 老马同意老李什么观点？

5. 为什么说老李是"劳累命"？

6. 你对"养儿防老"有什么看法？

三、谈谈你们国家父母养育子女的态度。

A: 最近你还去小丽家玩吗？

B: 除了她结婚的时候，去过一次她的新房，就再也没时间去她那儿玩了。再说她结婚了，怎么好常去打搅呢？

A: 听说了吗？她离婚了。

B: 开什么国际玩笑，我昨天还在大街上碰见她，她可是只字未提。

A: 她可能是爱面子，不好意思跟你说。

B: 无缘无故的，怎么就离婚了呢？

A: 我前些天去她家，她不在家。听她的一位邻居说，蜜月还没过完，就总是听到他们两口子吵架。上星期，又不知为了什么事情，他们吵得很厉害，她的丈夫竟然打了她一巴掌。

B: 这就有些过分了。夫妻间有什么大不了的事，无非是些鸡毛蒜皮的小事，怎么就想不开，非要离婚不可。

A: 据说是她的丈夫听到了一些谣言，常常猜疑小丽，怀疑她有一个情人。

B: 不可能！她丈夫一定误解小丽了。我最了解小丽了，她为人十分正派。

A: 更可笑的事还在后头。后来发展到他丈夫跟踪她上班，让小丽无法正常地工作。

B: 提起小丽的婚事，说来话长。当年我们同学中就有人觉得不乐观。谈恋爱的时候，他们就常常闹别扭。那时他的男朋友常常因为她的工作需要与很多人交往而发脾气，每次小丽都不和他计较。我们都劝她分手算了，可是她不忍心放弃5年的感情，最终还是嫁给了他。要是我呀，宁可当时痛苦，也不愿意看到现在的局面。

A: 你还别说"爱得太多也是一种负担"。其实我觉得夫妻双方互相信任最重要，没有彼此的信任，就没有牢固的婚姻。

B: 所以说，不能爱得太认真。不是有一首歌唱到：这就是爱，说也说不清楚；这就是爱，糊里又糊涂。

生　词

1. 打搅	（动）	dǎjiǎo	disturb
2. 爱面子		àimiànzi	be sensitive about one's reputation
3. 无故	（副）	wúgù	without reason
4. 谣言	（名）	yáoyán	rumor
5. 猜疑	（动）	cāiyí	harbor suspicious
6. 情人	（名）	qíngrén	sweet heart
7. 误解	（动）	wùjiě	misunderstand
8. 别扭	（形）	bièniu	awkward
9. 发脾气		fāpíqi	get angry; lose one's temper
10. 忍心	（动）	rěnxīn	find it in one's heart to do; have the heart to
11. 最终	（副）	zuìzhōng	finally; ultimately
12. 宁可	（连）	nìngkě	prefer; rather
13. 牢固	（形）	láogù	fastness

110

注　释

❶ 开什么国际玩笑

"不要开玩笑"的意思，表示不相信。"国际玩笑"，是指玩笑开得很大。

❷ 没有……，就没有……

双重否定用来表示强调的句式。如：

① 没有老一辈的奋斗，就没有今天的幸福生活！

② 没有爸爸、妈妈，就没有你！

❸ 糊里又糊涂

形容词的重叠形式，"A里AB式"，带有消极感情色彩。如："马里马虎、傻里傻气"。

❹ 宁可……，也……

表示让步的连词，表示在比较利害得失之后选取一种做法。强调的句式。如：

① 我宁可少睡一个小时，也要把工作做好！

② 他宁可受冻，也不愿意去修一下房子。

一、选择适当的词语填空。

谣言	打搅	彼此	想不开	忍心	最终
计较	别扭	无故	宁可	两口子	

1. A: 这么小的孩子，你_____离开他吗？
   B: 那有什么办法呢？

2. A: 你看这件衣服穿上怎么样？
   B: 我觉得有些_____。

3. A: 这些机器怎么办呢？
   B: 只要大家努力想办法，_____会解决的。

4. A: 都住在一个宿舍里，要学会_____互相关心。
   B: 放心吧，阿姨。我们会互相照顾的。

5. A: 你是哥哥，不要和弟弟_____。
   B: 可是，他也不能不讲理呀！

6. A: 听说最近大米要涨价了。
   B: 不要相信，那是_____。

7. A: 已经很晚了，我不_____你了。
   B: 好吧，明天见。

8. A: _____哪有不吵架的，也不能一吵架就说离婚呀！
   B: 可是也不能天天吵啊。

9. A: 我借了一本小说，你看吗？
   B: 我_____看电视也不想看小说。

10. A: 你真_____，出去留学多好呀！
    B: 可是，我要一个人生活了。

11.A：今天的报告很重要，不得_____缺席。

B：知道了。

二、根据材料，选择下列词语编一段对话。

☞ 暑假的时候，杰克和马力去西安旅行。

☞ 有一天他们外出忘了带地图，也没有记住旅馆的具体地址，只记得旅馆的名字。由于不认识路，走错了方向。

☞ 恰好西安有两家这个旅馆的分店。

☞ 结果他们走错了旅馆，却误以为别人进了他们的房间。

最近……   你听说……   据说   提起……，说来话长

更可笑的还在后头   你还别说   其实我觉得

三、分组讨论"爱得太多也是一种负担"。

一、根据要求填表。

引入话题时常用的表达方式	本课所出现的有关的语句
要我说呀……	
你还别说……	
其实我觉得……	
是这么回事	
没错，我也有同感……	
要论……＋看法	
说起／说到／提起……	
说来话长	
我的意思是／你的意思是……	
那好，下面我们就来讨论一下……	
这个情况你清楚，你说说吧……	
请你谈谈关于＋（话题）	
要说……还是	

二、完成对话，并用加色的词语模仿对话。

1. A：你的意思是找工作要考虑实际，不要这山望着那山高。

   B：_____。

2. A：_____。

   B：你还别说，这种奶粉就是挺好的，我的孩子特别喜欢喝。

3. A：_____。

   B：其实我觉得这也不全是他的错，夫妻双方谁对谁错，有时很难说清楚。

4. A：_____。

   B：没错，我也有同感。坚持冬泳的人，身体就是好。

5. A：_____。

   B：要论买衣服，还是玛丽会买，又便宜又好看。

6. A：_____。

   B：那好，下面我们就来讨论一下明天开晚会的事吧。

7. A: _____。

B：是这么回事，我是来找工作的。

三、交际活动：

练习"引入话题"的表达方式。二人一组。角色A请看附录1的交际活动20；角色B请看附录1的交际活动45。

四、同学之间聊一聊在你的国家，父母和孩子之间的关系怎么样？并使用以下词语。

你现在还……　　　提起……　　　没错，我也有同感　　　要我说呀，……

我想了解一下……

第十三课

改变话题：这事待会儿再谈吧

A： 从我们上次在茶馆见面到现在，大约有半年多没见了。最近，工作、生活都好吧？

B： 还凑合吧。你近来也挺忙的吧？打电话，总感觉你忙忙碌碌的，有什么变动吗？

A： 是的，我正准备调动工作。

B： 干得好好的，为什么要调动呢？

A： 这事待会儿再谈吧。咱们先谈谈上次我们说的编写计划。你有没有具体的想法？

B： 我初步有一些考虑，但是还不够成熟。我觉得写小说实在不是件容易的事。我担心自己能力有限，做不好这项工作。

A： 别泄气。只要大家相互协作，有毅力，没有什么完不成的。这是我打印出来的提纲，你先看看，咱们最好先把提纲确定下来。

B： 咱们的想法真是不谋而合，我也是这样考虑的，既要考虑到大众化，又不要太通俗。我看你的提纲观点突出，结构清晰，就先这样定下来吧！

A： 对了，还有一件事我忘记告诉你了。我这里有一些听众来信，你带回去看看有没有可以参考的内容。

B： 好吧，说不定有些是可以借鉴的呢！

A： 哦，光顾说话了，忘了点菜啦！你喜欢吃些什么？

B： 看看再说。服务员，请拿个菜单儿来！

生　词

1. 茶馆	（名）	cháguǎn	tea shop
2. 忙碌	（形）	mánglù	busy
3. 变动	（动）	biàndòng	change
4. 调动	（动）	diàodòng	remove
5. 泄气	（动）	xièqì	staleness
6. 协作	（动）	xiézuò	cooperation
7. 提纲	（名）	tígāng	outline
8. 不谋而合		bùmóu'érhé	happen to have the same view
9. 大众化	（名）	dàzhònghuà	in a popular style; popular
10. 通俗	（形）	tōngsú	common
11. 观点	（名）	guāndiǎn	opinion
12. 结构	（名）	jiégòu	structure
13. 清晰	（形）	qīngxī	clear
14. 听众	（名）	tīngzhòng	listerner
15. 借鉴	（动）	jièjiàn	use for reference
16. 哦	（叹）	ò	oh
17. 菜单儿	（名）	càidānr	menu

116

注　释

❶ 忙忙碌碌的／好好的

　　形容词的重叠式，表示加重程度，常和"的"配合使用，不能受"很"、"非常"等程度副词的修饰。在句子中可以作谓语、补语、定语等。如：

① 他个子高高的。

② 他的房间打扫得干干净净的。

❷ 既……又……

　　表示并列关系的连词。如：

① 这些房子既实用又美观。

② 他既没有亲人又没有朋友，一个人生活。

练习

一、选择适当的词语填空。

参考 凑合 有限 大众化 借鉴 打印 通俗 泄气 观点 毅力

1. A：这些材料＿＿＿＿＿好了吗？
   B：再等五分钟，行吗？

2. A：最近身体怎么样？
   B：还＿＿＿＿＿吧，就是晚上休息得不够好。

3. A：个人的力量是＿＿＿＿＿的，大家的力量是无限的。
   B：这话有道理。

4. A：你对这本书有什么看法？
   B：这本书有的＿＿＿＿＿我不太同意。

5. A：这篇文章的语言再＿＿＿＿＿一些，就更受欢迎了。
   B：那我再改一改吧。

6. A：我不太喜欢这些样式，太＿＿＿＿＿了。
   B：有时候普通的衣服也能穿出特别的味道。

7. A：我正在准备论文呢，有什么书可以＿＿＿＿＿的吗？
   B：这些书你看看有没有用。

8. A：太难了，我都不想做了。
   B：别＿＿＿＿＿，胜利是属于我们的。

9. A：他的画儿画得真不错！
   B：他＿＿＿＿＿了少数民族的画法。

10. A：这些壁画历经了十年才雕刻完的。
    B：可见没有＿＿＿＿＿是完不成的。

二、根据情景编写一段对话，并用上下列语句。

放假回来，同屋A和B相见十分高兴，互相聊起假期的趣事；这时A忽然想起还没请B吃自己带来的特产；B也想起上午接到调换宿舍的通知：A和B被分到不同的宿舍，二人要分开住了。

☞ 光顾，忘了……

☞ 对了，有一件事我忘了……

☞ 这事待会儿再谈，我们先谈谈……

王宁： 哟，这件衣服你穿着挺合身的。现在你可是越长越年轻，越长越漂亮了。

卫丽： 你还是说正经的吧。这么着急把我找出来，不会就为了说我漂亮吧？

王宁： 看你，还是那么直率。好，咱们就闲话少说，直奔主题。本人主要想走走后门儿，想早一点儿知道评比结果。

卫丽： 我猜你就是为了这个。告诉你一个好消息，你的设计方案已经被选中了，要进入复赛。

王宁： 真的？你不会拿我寻开心吧？

卫丽： 看我说了你又不信，那你还找我做什么？等着吧，明天名单就公布了。

王宁： 不是对你不相信，而是对我自己不够自信。

卫丽： 得了吧！上一次你都拿了特等奖，还不自信哪！要知道过分的谦虚就是自负。不过，向你透露一点儿内部消息。你的草稿最好再修改一下。现在的评委十分注重住宅的现代性，软件和硬件一定要跟上。凡是能突破传统的方案，都很引人注目。

王宁： 谢谢你的指教，我一定听从。对了，差点儿忘了一件事。这些照片你帮我给组委会，上次报名的时候忘带了。

卫丽： 这么多年你一点儿也没变，还那么爱丢三落四的。说到这儿，我想起一件事。今年是我们班毕业十周年，也是我们母校55周年校庆。怎么样，你来当发起人，组织一下老同学的聚会。

王宁： 还是你来吧，我总是丢三落四的。

卫丽： 看，这么快就报复我了。

生　词

1. 闲话	（名）	xiánhuà	claver
2. 本人	（代）	běnrén	myself
3. 走后门儿		zǒuhòuménr	secure advantages through influence
4. 特等奖	（名）	tèděngjiǎng	special grade award
5. 谦虚	（形）	qiānxū	humble
6. 草稿	（名）	cǎogǎo	draft; draught
7. 住宅	（名）	zhùzhái	residence
8. 硬件	（名）	yìngjiàn	hardware
9. 引人注目		yǐnrénzhùmù	eye-catching; noticeable
10. 听从	（动）	tīngcóng	obey
11. 丢三落四		diūsānlàsì	be careless and sloppy
12. 周年	（名）	zhōunián	anniversary
13. 报复	（动）	bàofù	retaliate

120

注　释

❶ 本人

指当事人自己或前边所提到的人自己。"本"指自己方面的，现今的。如"本校、本月"等等。如：

① 我本人非常赞成这个主张。

② 这件事他本人并不知道。

❷ 走后门儿

比喻通过托人情或利用职权等不正当的途径取得利益。如：

① 为了找个好工作，他走后门儿。

② 他走后门儿买到了飞机票。

❸ 寻开心

开玩笑的意思。

❹ 凡是

总括某个范围内的一切。如：

① 凡是大家反对的，我们都要认真考虑。
② 凡是跟他一起工作的人，没有不称赞他的。

一、用括号中所给的词语完成下列对话。

1. A：小黄怎么跟她女朋友分手了？
   B：_____（闲话）

2. A：这次音乐会的门票很难买。
   B：_____（走后门）

3. A：我不知道自己有没有被录取。
   B：_____（名单）

4. A：玛丽总是说自己的汉语不好。
   B：_____（谦虚）

5. A：_____（透露）
   B：对不起，我不能说。

6. A：这个汉字可能念 yān，我记不清了。
   B：_____（凡是）

7. A：假期你有什么安排吗？
   B：_____（听从）

8. A：老公，今天是什么日子，还记得吗？
   B：_____（周年）

9. A：_____（报复）
   B：真后悔，当初为什么没有努力学习。

二、根据课文内容，回答问题。

1. 王宁为了什么事找卫丽？

2. 王宁为什么说自己是"走后门儿"?

3. 卫丽给王宁提了什么建议?

4. 卫丽为什么说王宁是"报复"自己?

5. 说一说本段课文中有几次改变话题,都用了哪些语句?

综合练习

一、根据要求填表。

改变话题时常用的表达方式	本课所出现的有关的语句
说正经的	
对了，还有一件事我忘了	
唉，不要扯得太远	
说到……我想起一件事来	
我们说点儿别的	
这事一会儿再说，咱们先谈谈……	
（一个话题）＋对了＋（另一话题）	
……先不说，先说说……	
这个问题我们先放一放，还是回到……	

二、完成对话，并用**加色**的词语模仿对话。

1. A: ＿＿＿＿＿＿＿＿＿＿＿＿＿＿＿

   B: 你写的那篇文章我已经看了，棒极了！说正经的，今天中午我请客，想吃什么？

2. A: ＿＿＿＿＿＿＿＿＿＿＿＿＿＿＿

   B: 明天的机票，我已经拿到了。对了，明天张明也和我们一起去，他让我告诉你一声。

3. A: ＿＿＿＿＿＿＿＿＿＿＿＿＿＿＿

   B: 唉，别扯得太远了，还是说说现在这笔钱怎么用吧！

4. A: 说到开车，我想起一件事，李立昨天开车，把车给撞了。

   B: ＿＿＿＿＿＿＿＿＿＿＿＿＿＿＿

5. A: ＿＿＿＿＿＿＿＿＿＿＿＿＿＿＿

   B: 别总是说考试，我们说点儿别的。

6. A: ＿＿＿＿＿＿＿＿＿＿＿＿＿＿＿

   B: 这个问题我们先放一放，还是回到去哪儿旅游比较经济的问题上吧。

三、交际活动：

练习"改变话题"的表达方式。三人一组。二人为Ａ组，请看附录1的交际活动

123

24；一人为 B 组，请看附录 1 的交际活动 56。

四、根据班内人数随意分组进行聊天，注意引起新的话题，并使用练习中有关的表达方式。

第十四课

结束话题：今天就到这里吧

李明： 你好！山田先生，很高兴见到你！希望我们这次合作愉快！

山田： 李先生，初次见面，请多多关照！这是我们公司的价目表，请您过目。

李明： 这样吧！具体情况由我们公司的主管——小虎先生跟您谈吧。我今天还有点儿事，就先告辞了，回头我们电话联系。你看行吗？

山田： 那小虎先生可以当家吗？

李明： 没问题！好，就这样！你们二位慢慢谈吧。失陪了，山田先生。

小虎： 你好！山田先生，虽然我们是初次打交道，但是我希望能开个好头，以后有进一步的来往。您知道，现在商场上的竞争太大了。对于您给出的这个价格，从目前的状况看，似乎有些偏高。

山田： 可是你要考虑到我们的牌子和质量，那些普通的服装是无法相比的。

小虎： 这个，我明白。您也知道我们公司在市场上是颇有影响力的，通过我们公司的销售渠道来为你们打开市场，对你们来说是一个明智的选择，这样省去了你们很多的麻烦。

山田： 那您的意思是……

小虎： 希望在这个价格基础上，再优惠20%。

山田： 可是，我最多只能降低10%。

小虎： 儿童服装这一行业，您也是了解的：即使质量再好，价格也不能抬得太高，如果再加上进口的关税，那些高档的衣服以后根本就推销不动。

山田：　很抱歉，你的要求我们实在办不到。我们也要考虑成本呀！

小虎：　真对不起，价格上我们公司是订好的，我无法做任何让步。

山田：　我已经做了很大的让步，难道你们就不能退一步吗？

小虎：　看来双方的差距太大了。您的价格很难让我们达成协议，只有以后再找机会吧。

山田：　如果您坚持己见的话，我看我们只好谈到这儿了！

小虎：　那好，今天就到这里吧！再见！

山田：　再见！

生　词

1. 主管	（动、名）	zhǔguǎn	in charge; director
2. 当家	（动）	dāngjiā	keep house
3. 打交道		dǎjiāodào	contact with
4. 来往	（动）	láiwǎng	correspondence
5. 偏	（形）	piān	a bit; partial
6. 颇	（副）	pō	pretty
7. 渠道	（名）	qúdào	channel
8. 关税	（名）	guānshuì	customs duty
9. 成本	（名）	chéngběn	cost
10. 退步	（名、动）	tuìbù	lag behind
11. 达成	（动）	dáchéng	manage to

注　释

❶ 我们电话联系

“电话”在这里是名词性短语作状语。如：

① 我们要历史地看问题和分析问题。

② 任何宾馆都要礼貌待客。

❷ 失陪了

提前离开时的告别语。

❸ 打交道

交际；来往；联系。如：

① 我很少和她打交道。

② 和这样的人打交道，太累了。

❹ 坚持己见

意思是"坚持自己的意见"。

一、用括号中所给的词语完成下列对话。

1. A：马力这个人怎么样？

   B：＿＿＿＿＿＿＿＿＿＿＿（打交道）

2. A：这家公司的产品怎么样？

   B：＿＿＿＿＿＿＿＿＿＿＿（销售）

3. A：＿＿＿＿＿＿＿＿＿＿＿（牌子）

   B：啤酒的味道还不一样吗？

4. A：今年的毕业生非常多。

   B：＿＿＿＿＿＿＿＿＿＿＿（竞争）

5. A：假期你打算做什么？

   B：＿＿＿＿＿＿＿＿＿＿＿（推销）

6. A：快过中秋节了，我们买些月饼吧！

   B：＿＿＿＿＿＿＿＿＿＿＿（高档）

7. A：你很早就认识他吗？

   B：＿＿＿＿＿＿＿＿＿＿＿（来往）

8. A：小虎在你们公司做什么？

   B：＿＿＿＿＿＿＿＿＿＿＿（主管）

9. A：＿＿＿＿＿＿＿＿＿＿＿（当家）

   B：当然是我老婆了！

10.A：这一次的考试题怎么样？

    B：＿＿＿＿＿＿＿＿＿＿＿＿＿（偏）

二、根据课文内容，回答问题。

1．李明和山田是第一次打交道吗？

2．李明为什么先走了？

3．具体情况是谁主管的？

4．"当家"在这里是什么意思？

5．小虎提出什么要求？山田答应了吗？

6．小虎是怎么提出结束话题的？

三、交际活动：

    练习"结束话题"的表达方式。三人一组。角色A请看附录1的交际活动31；角色B请看附录1的交际活动38；角色C请看附录1的交际活动58。

(记者采访"爱心基金会"的负责人)

记　者：　王先生，欢迎您应邀来到我们杂志社，接受我们的采访。

王先生：　我也谢谢你们给"爱心基金会"一个向社会宣传自己的机会，让更多的人了解我们。

记　者：　王先生，您作为基金会的主办人之一，自始至终都保持着一种热情，真让人佩服。请问，您最初是怎么想起要创办基金会的呢？

王先生：　是这样的。我本人是在边疆长大的，从小就目睹了村子里有很多人因为有病得不到及时治疗的痛苦。一直以来，我都有这种想法，成立一个基金会，用来改善边远山区一带的医疗状况。

记　者：　听说你们不靠政府一分钱，解决了不少地区就医难的问题。

王先生：　我们主要依靠的是民间的赞助，由社会捐赠物资，再免费提供给需要救助的地区。

记　者：　那人们相信你们吗？

王先生：　起初，我们也是抱着试试的态度进行的。但我们保证专款专用，每一笔款项都有记录，赞助者随时都可以调查它们的去处。这样就增进了基金会的可信度，现在越来越多的人加入到我们的队伍中去。世上还是好人多呀！

记　者：　据统计，你们目前已经累计救治了10个地区，3000多名病人。一次一次地把他们从死神手中抢回来……

(王先生的手机响了)

王先生：　对不起，我有些急事要回去了。今天先聊这些吧，改日请你去我们基金会看看。

记　者：　那好吧。今天也耽误了您不少时间，我们暂时谈到这儿吧。希望以后有机会对你们的基金会有一个全面的了解。

王先生：　好了，今天我们谈得很愉快！也希望你们能替我们多宣传宣传，让我们为社会多做一些贡献。

生　词

1. 应邀	（动）	yìngyāo	on invitation
2. 主办	（动）	zhǔbàn	front for
3. 自始至终		zìshǐzhìzhōng	from first to last
4. 最初	（名）	zuìchū	first
5. 创办	（动）	chuàngbàn	create
6. 边疆	（名）	biānjiāng	frontier
7. 目睹	（动）	mùdǔ	discern
8. 一带	（名）	yídài	area around a particular place
9. 笔	（量）	bǐ	stock
10. 赞助	（动）	zànzhù	support
11. 物资	（名）	wùzī	material
12. 起初	（名）	qǐchū	in the beginning
13. 增进	（动）	zēngjìn	build up
14. 加入	（动）	jiārù	enter; go into
15. 队伍	（名）	duìwu	team
16. 累计	（动）	lěijì	add up
17. 耽误	（动）	dānwù	delay

130

专有名词

1. 爱心基金会	Àixīnjījīnhuì	Kind Fund

注　释

❶ 可信度

"度"，自由语素，常在其他字或词尾构成新词。例如"高度、轻度、自由度"等等。

❷ 一次一次

数量短语重叠做状语，表示动作进行的方式，有"……接着……"的意思。如：

① 这些行李一件一件地被摆放得十分整齐。

② 他们两个两个地走了进来。

一、用括号中所给的词语完成下列对话。

1. A：知道这次的座谈会都有谁参加吗？
   B：＿＿＿＿＿＿＿＿＿＿＿＿＿＿＿＿（应邀）

2. A：这场演出非常成功。
   B：＿＿＿＿＿＿＿＿＿＿＿＿＿＿＿＿（主办）

3. A：你见过三木的女朋友吗？
   B：＿＿＿＿＿＿＿＿＿＿＿＿＿＿＿＿（自始至终）

4. A：小王已经坚持练了十年的书法。
   B：＿＿＿＿＿＿＿＿＿＿＿＿＿＿＿＿（佩服）

5. A：这些电脑好卖吗？
   B：＿＿＿＿＿＿＿＿＿＿＿＿＿＿＿＿（最初）

6. A：听说昨天的车祸中，伤亡很严重。
   B：＿＿＿＿＿＿＿＿＿＿＿＿＿＿＿＿（目睹）

7. A：这些特产是哪里的？
   B：＿＿＿＿＿＿＿＿＿＿＿＿＿＿＿＿（一带）

8. A：参观这次画展的人创了历史最高记录。
   B：＿＿＿＿＿＿＿＿＿＿＿＿＿＿＿＿（累计）

二、根据课文内容，回答问题。

1. 王先生为什么要接受记者的采访？

2. 他为什么想创办这个"基金会"？

3. "基金会"怎么解决经费问题？

4. 为什么会有人相信他们？

5. 这次采访是怎么结束的？

综合练习

一、根据要求填表。

结束话题时常用的表达方式	本课所出现的有关的语句
到此为止／谈话到此为止	
就这样吧	
暂时谈到这儿	
耽误大家时间了／浪费大家时间了	
好了，今天先聊这些吧／今天先说到这儿	
因时间的关系今天就到这儿吧	
谢谢大家……	
会谈很成功＋期待您的回音	
希望以后能有机会……	
今天太晚了／今天没时间了＋改日／以后	
再聊吧……	
今天我们谈得很愉快……	
今天就到这儿＋希望……	

二、请为下列对话加上合适的结束语。

1. A：明天我打算去买些礼物带回去，你说买什么好呢?

   B：我建议你买中国画，到时候挂在家里，很有特色的。

   A：不过，我觉得中国的茶叶更好，路上又好拿。

   B：那我们明天看看再决定吧，说不定会有更合适的东西呢!

   A：哎呀! 都十二点了……

   B：……

2. A：纯子，你也来看表演了?

   B：是啊。马可，你刚才的表演真是太好了，你是在哪儿学的武术? 有空能不能教教我?

   A：你也喜欢武术吗? 好像女孩子练起来不太方便。

   B：怎么会呢? 电视上也常常有女孩子的表演。练武术既能强身健体，又能保持体形，多好啊!

   C：纯子，我们走吧。

   B：……

   A：……

3. 厂长：欢迎大家来参观，我们这是小企业，有很多不足的地方，希望你们能多提出建议。

　　山田：您太谦虚了。这么壮观的厂房，您还说是小企业？

　　厂长：我说的是实话，刚才你们参观的时候也看到了，我们厂的部分车间还在建设中，设备还不够完善哪。

　　山田：王厂长，谢谢您对我们这次参观的大力支持。……

　　厂长：……

三、为下列句子分别设置一个情景，然后编一段对话。

1. A：这次会谈很成功，我们期待你们的回音。

　　B：我们也深有同感，您静待佳音吧。

2. 10点钟我还有个会，今天就到这儿吧。回去我们都好好想想，有了好主意，大家互相打个电话。

3. 咱们的谈话到这儿就结束了。如果你真的愿意在这里实习的话，就好好准备一下，明天搬过来住。

4. 今天太晚了，我得坐末班车回家，我们改日再聊吧。

四、交际活动：

　　练习"结束话题"的表达方式。二人一组。角色A请看附录1的交际活动40；角色B请看附录1的交际活动33。

话题八

从数字变化看中国百姓生活

　　中国到底怎么样？这是很多外国朋友关心的问题。那么，请随记者一起去听听市民讲述生活的感受和变化。

（一）

（在某商场门口）

记者：　小姐，请问你在哪儿工作？

小姐：　证券公司。

记者：　你买这么多东西，这几袋都是衣服吧？

小姐：　是啊，女人嘛，衣服是不会嫌多的。

记者：　你知道自己有多少件衣服吗？

小姐：　这怎么说得清楚呀？我的衣服已经多得连我自己都数不清楚了。每次逛街，看到喜欢、合适的衣服，想买就买，就算500元一条的裙子，每个季度买几条也是常有的事呀。

　　数字资料：1990年为154.14元，1995年为498.13元，2001年广州人均成衣消费量是573元。

1. 证券	（名）	zhèngquàn	negotiable securities
2. 季度	（名）	jìdù	quarter (of a year)
3. 人均	（名）	rénjūn	per capita

练 习

一. 你觉得中国人穿得怎么样？

二. 有没有和中国朋友一起逛街购物，请描述他们买衣服时的一些特点。
　　（提示：买衣服的数量；买衣服时注重什么等）

三. 从提供的数字资料，你看出了什么？

（二）

（在某饭店门口）

记者：　您好，一家人来吃饭吗？怎么不在家里吃团圆饭？

市民：　在饭店吃省事。团圆饭嘛，只要一家团圆，在哪儿吃都一样。

记者：　那是啊。过年有什么安排吗？亲戚朋友们互相串串门拜拜年？

市民： 我们明天就飞三亚，去看海。给亲戚朋友拜年当然少不了啦，到时候电话拜年或发短信拜年。

数字资料：

1. 2002年春节期间，居民出游达5158万人次，选择"离家"过年的城里人似乎越来越多。中国公民出境人数，20世纪90年代初，只有300万人次；2001年，达到1213万人次。

2. 中国固定电话用户数量突破2亿户，居世界第一。中国手机用户1999年为4323.8万户。2001年为14481.2万户；2003年为26869.3万户；中国短信增长情况：1999年1亿条；2001年189亿条；2003年2200亿条。

生　词

1. 拜年	（动）	bàinián	pay a New Year call
2. 公民	（名）	gōngmín	citizen
3. 出境	（动）	chūjìng	leave the country
4. 户	（量）	hù	household; family
5. 居	（动）	jū	be (in a certain position); occupy (a place)
6. 用户	（名）	yònghù	consumer
7. 增长	（动）	zēngzhǎng	increase; rise; grow

专有名词

1. 三亚	Sānyà	Sanya (a city in Hainan Province)

练习

一. 中国人过年的方式和你想象的有区别吗？

二. 你觉得中国人喜欢旅游吗？

三. 从提供的数字资料，你看出了什么？

（三）

（在某超市）

记者：　您好，请问您经常来超市购物吗？

市民：　大概一周一两次吧。

记者：　把一星期要买的东西集中买好？

市民：　差不多吧。

记者：　你也去市场买菜吗？

市民：　有时去。

记者：　在市场买菜讲价吗？

市民：　以前经常跟卖菜的讨价还价，现在很少。现在谁也不会太在乎几块钱，讲来讲去就省
　　　　几角钱，不值得，再说，现在吃也吃不了多少钱。

记者：　那现在钱主要花在哪些方面呢？

市民：　现在不是时兴买房买车买电脑吗？另外，旅游、教育也要花不少钱。

记者：　能告诉我您买房买车买电脑了吗？

市民：　房子买了，电脑还不只一台呢，但还没买车。

记者：　为什么不买车呢？

市民：　我上班比较近，不需要开车。即使远，现在的公共汽车、地铁什么的也挺方便的。

数字资料：

1. 1990 年，中国城镇和农村居民恩格尔系数分别是 54.2% 和 58.8%。2000 年，中国
　　城乡居民恩格尔系数首次低于 50%，进入小康水平。2001 年，中国城镇和农村居民

家庭恩格尔系数分别降到37.9%和47.7%。

2. 2001年农民人均住房面积为25.7平方米，比1989年增加了8.5平方米。2001年城市居民人均居住面积14.1平方米，比1989年增长53.3%。90年代以来，城镇居民已经成为住房投资和消费的主体，个人购买商品住宅的比例超过了93%。

3. 2001年中国私家车数量达到771万辆。在城市中，2.5%的家庭拥有属于自己的汽车。

生　词

1. 讲价	（动）	jiǎngjià	bargain
2. 讨价还价		tǎojiàhuánjià	bargain; haggle
3. 时兴	（动）	shíxīng	fashionable; popular
4. 地铁	（名）	dìtiě	metro;underground (railway)
5. 城镇	（名）	chéngzhèn	cities and towns
6. 居民	（名）	jūmín	resident
7. 主体	（名）	zhǔtǐ	main body
8. 购买	（动）	gòumǎi	purchase; buy
9. 私家车	（名）	sījiāchē	private car

注　释

❶ 恩格尔系数

　　指购买食物的人均支出在消费总支出中的比重。根据联合国粮农组织制定和衡量居民生活消费水平的标准，恩格尔系数在60%以上为贫困，50%—59%为温饱，40%—49%为小康，30%—39%为富裕。

练习

一．中国人见面的口头语"吃了吗？"还能经常听到吗？

二．你去过中国人家里吗？觉得中国人住得怎么样？

三．你觉得在中国生活交通方便吗？

四．从提供的数字资料，你看出了什么？

综合练习

看表格，回答问题：

耐用消费品拥有比例（％）

	2000 年	2003 年
空调	42	53.7
影碟机	55.5	68
微波炉	34.9	47.5
热水器	64.3	72.5
电脑	17.3	29.8
汽车	3	3.9
手机	23.8	48.5

快速消费品的使用率（％）

	2000 年	2003 年
纸巾	54.4	65.3
沐浴液	43.5	49.8
茶饮料	29	37.7
果汁饮料	36.5	39
奶类饮料	68.1	75.3
鲜奶	57.3	70.3

在超市购商品的居民比例（％）

	2000 年	2003 年
蔬菜、肉类	8.6	15
水果	5.4	11.1
其它副食	20.4	26.1
家庭日用品	24.9	29
饮料	27.2	30.5
耐用消费品	6.8	13.3

居民出行使用各种交通工具的比例（％）

	2000 年	2003 年
步行	12.5	19.8
自行车	40.9	34.4
摩托车	4.4	4

公交车	31.9	33.3
汽车	2.7	2.6

高等教育状况

	1998年	1999年	2000年	2001年	2002年
全国普通高校招生人数	108万	164万	220万	260万	290万
全国普通高校研究生招生人数	7.2万	9.2万	12万	17万	20万

城镇居民人均可支配收入

2000年	2001年	2002年	2003年
6280元	6860元	7702元	8500元

问题：

1. 从上述表格所提供的数据，具体描述中国老百姓生活的变化。在描述中注意运用列举和比较功能。

2. 根据提供的数据，从消费方式、生活习惯、受教育情况等方面概括中国老百姓生活的变化。

3. 以"中国印象"为话题，结合你在中国的所见所闻，谈谈你对中国的印象。可适当地运用比较、概括、祝愿、吃惊、庆幸、抱怨、不解等功能。

补充词语

1. 影碟机	（名）	yǐngdiéjī	disk player
2. 热水器	（名）	rèshuǐqì	water heater
3. 快速	（名、动）	kuàisù	fast; high-speed
4. 纸巾	（名）	zhǐjīn	paper towel
5. 沐浴液	（名）	mùyùyè	bath foam
6. 果汁	（名）	guǒzhī	fruit juice
7. 日用品	（名）	rìyòngpǐn	articles of everyday use
8. 出行	（动）	chūxíng	go on a journey
9. 步行	（动）	bùxíng	go on foot; walk
10. 摩托车	（名）	mótuōchē	motorcycle
11. 招生	（动）	zhāoshēng	enrol new students

交际活动

1

你是 A：商店售货员。向顾客介绍一种新手机，这种手机的待机时间长达 200 个小时，并且价格便宜，功能实用，质量有保证……直到顾客相信为止。

2

你是 A。来到 B 的宿舍，看到 B 很苦恼，询问发生了什么事？根据 B 的诉说，劝说 B 不要只表示后悔，应该用实际行动向同学道歉。比如请他看电影、吃饭……

3

你是 A：非常喜欢歌星李玟。现在她来广州举办个人演唱会，很想去看一看，但是门票很难买，你没买到，正着急着呢。这时，电话响了……

4

A、B、C 三位老同学聚餐，一边吃，一边聊。

你是 A：B 是一位有名演员。你觉得 B 这么多年，一直没有变化，还是那么年轻、漂亮……认为当演员好。

你作为一名小学老师感觉小学生很调皮，有的学生学习不努力，成绩不好，家长找校长要求换老师，觉得工作压力很大……（有什么不满意的，都说出来。）

5

在书店。

你是 A：顾客。向售货员说明你想买一本什么样的书，请他帮忙。

比如：一本汉语书

☞ 是针对外国人编写的；

☞ 教材中有拼音和英文翻译；

☞ 配有合适的练习册，课后能够复习；

☞ 能够帮助自己学习汉字；

☞ 教材配有音像材料，可以在家中自学……

6

你是 B：警察。发现同学的弟弟 A 骑自行车闯了红灯。按规定你要罚 A 的钱，还要没收他的车子。你让 A 停车，向他走去。

（提示：警察工作时，应该拒绝一切和工作无关的事宜）

7

你是 A：留学生。刚来中国，对一些现象或习惯不理解，向你的同学 B 请教。

（提示：很多中国人在红灯亮时照样过马路……如果 B 有问题问你，想办法解答他。）

8

你是 A：留学生。你的同学 B 在留学生作文比赛中获得一等奖。他才学了一年汉语，就能写出这么好的文章，你觉得他太了不起了……向他表示祝贺，并夸奖他。

9

今天是周末。

你是 B：公司的经理。年轻的时候学过汉语，但没好好学。现在做生意，要用汉语，又开始学习汉语，可是年龄大了，记忆力不好，怎么学也学不好了。非常后悔年轻时不努力学习。

现在有一份汉语资料要翻译，来找公司职员 A，敲门……（看看 A 在干什么？适当地表达你的"后悔"）

10

你是 B：晚上和 A 去友谊剧院看留学生汉语表演晚会，约好 7：20 在门口见。为了准时到达，你坐出租车去，可是没想到碰上一位不认路的司机，加上堵车，8 点才到。没有看到前面精彩的节目，向 A 抱怨你的经历。

11

留学生办公室。

你是 A：留学生。打算下周一一个人先去桂林旅游，听说路途较远，坐卧铺较好；还要订一张下个月 5 号飞往巴黎的往返飞机票。

12

你是 B：A 的毕业论文指导老师。你认为外国人研究中国的方言问题，难度比较大，而且不容易收集材料，选题最好能利用自己母语的优势，双语对比的题目比较合适。但是，你也很尊重学生的意见。

13

你是 B：来自法国的留学生。和来自美国的华裔同学 A 一起参加一个招聘英文老师的面试。你觉得 A 的英语比你好，但没想到你入选了，A 却没选上。你觉挺奇怪，问 A……

14

A、B 住在一个宿舍。

你是 A：你是一个勤快、细心的人。平时面包、蛋糕、牛奶一类的早餐都是你买的，买的时候，特别注意产品的生产日期。今天上午，你看见 B 老往洗手间跑，问 B 怎么回事？

15

你是 B：晚上和 B 去看电影，看了一半你们就出来了。电影票是 B 买的。向 A 抱怨：旁边坐着的一对情侣不停地说话；空调像没开一样，热得要命……

16

A、B是朋友。

你是B：租住的房子快到期了，最近，经济很紧张，很想找一间租金300元／月，有基本的家具，有电脑的房间。但是还没找到，你很着急。这时，电话响了……

17

你是A：B的男朋友。晚上你和B要参加一个舞会。你很喜欢女孩子长发飘飘，穿着白色连衣裙的样子。不过，只要你女朋友喜欢的，你也会喜欢。所以一般你会发表意见，但也很尊重B的意见。

18

A、B、C三位老同学聚餐，一边吃，一边聊。

你是B。C是一位老板。你觉得当老板最好，有钱，什么事情自己说了算。

你是一位演员，拍电影的时候，作息时间不正常，而且平时经常被记者跟踪，没有自己的私人生活，觉得心里很累……（有什么不满意的，都说出来。）

19

你是B：电视台的记者，观看"外国人唱中国歌"比赛，觉得获得第一名的外国留学生A，不仅汉语说得好，音色也特别好听。现在领奖刚刚结束，你采访A……

20

你是A：留学生。最近，很多外国学生都想到中国留学。于是，你和同屋B谈起自己来中国留学的一些事情。

开始父母不同意：学习和生活费用高；年龄小，没有独立生活能力；一个人在国外不安全……后来，……同意了……

21

你是A：一名推销员，在留学生宿舍推销可以打长途电话的电话卡。(想办法将物品推销出去。)

提示：电话卡收费低，在优惠的时间内比手机便宜很多；全国通用，每一部公用电话机都可以用；可以反复充值，一直使用……

22

你是B：留学生。对一些现象或习惯不理解，向你的同学A请教。

(提示：你把一个可爱的闹钟作为礼物送给一个中国朋友，但他很不高兴……如果A有问题问你，想办法解答他。)

23

已婚者和未婚者总是互相羡慕着的两类人。

你是 B：未婚者，非常羡慕已婚者 A。因为已婚者有以下的优点：

（1）有人分享你的感受，陪你一起笑，一起哭；

（2）已经拥有爱情，可以全力干事业；

（3）回家就有饭吃；

（4）生病了有人照顾；

……

24

A 组：你们到玛丽的宿舍商量毕业晚会表演什么节目。见面后，却谈起下星期旅游的事：

☞ 旅游的地点；

☞ 旅游的价格；

……

25

A 组：你们是留学生，都是独自一人来中国留学的。中午下课，你们商量着一起去学校外面的小餐厅吃饭，邀请 B 参加。

（提示：如果 B 不能和你们一起去吃饭，你们不仅不生气，反而很羡慕 B.）

26

你是 A：你是孩子的母亲。虽然孩子已经工作了，可你还是爱操心。现在你又和孩子的父亲唠叨孩子很会花钱；都 28 了，还不谈朋友……

27

你是 B：顾客。对售货员的介绍表示怀疑：（1）自己的手机价格比售货员介绍的贵多了；（2）用了没多久就要修，到现在一共修了三次；（3）只能待机 80 个小时……

28

B 组：想想广告的坏处，从广告给我们的生活带来的不便、烦恼等方面说明广告对生活的影响是弊大于利：

1．广告是对人们的误导，影响人们的正常判断；

2．广告都是"王婆卖瓜，自卖自夸"；

3．广告是对人们生活的一种干扰，比如：看电视剧时插播广告；

4．广告的目的就是让人不断地消费；

5．……

注意：在列举广告的种种坏处的同时，要能够对 A 提出的观点和看法进行反驳，可以适当地运用转述、失望、担心、强调、列举、比较、批评、厌恶、反对、吃惊、怀疑、抱怨等功能，尽量让 A 组同意我方的观点。最后对我方的观点进行总结概括。

29

你是 A：人事部门经理，现公司需要招聘一名日语翻译，有关情况如下：

人才招聘

职位名称：	事务型日语翻译
招聘说明：	校园招聘
招聘公司：	松下电器上海分公司
工作省份：	上海
具体工作城市：	上海
工作所属类型：	秘书／行政
职位描述：	1.日语文档翻译 2.日常日语口语翻译 3.部门文档管理及相关联络工作 4.部门收支管理
职位要求：	1.大学本科毕业 2.日语一级以上，口语及笔译流利 3.熟练使用中文和日文的 OFFICE 软件 4.工作作风严谨、富有责任心 5.上海市常住户口

你现在正在接待应聘人员，你有权确定人员的录用。

30

留学生办公室。

你是 B：老师，专门负责帮留学生订飞机票和火车票。

按照规定：

(1) 订火车票，登记时间、班次、目的地、张数和车票类别（硬座、硬卧、软卧）。

(2) 订飞机票，登记护照上的姓名、时间和目的地。

订票时不需要付钱，取票的时候再付钱。

31

你是 A：杰克。晚上 8 点你到马力和三木的宿舍借《成语词典》（做作业用）……晚上 10 点，你想起还有作业没做完，赶紧回自己的宿舍。

32

A、B、C 三位老同学聚餐，一边吃，一边聊。

你是 C。A 是一名小学老师。你觉得当老师好，每年有两个假期。

你自己开公司，要管的事情很多，每天很晚才能回家，周末也常常没有休息……（有什么不满意的，都说出来。）

33

你是B：留学生。正在接受校园记者的采访。

（注意：对记者的提问，尽可能回答得详细些。）

34

你是A：晚上和B去看电影，看了一半你们就出来了。电影票是B买的。向B抱怨：电影导演不会选演员，警察看起来像小偷，坏人看起来像英雄；没有中文字幕……

35

你是A：来自美国的华裔留学生。和法国同学B一起参加一个招聘英文老师的面试，你没有成功。可是B却入选了。你觉得非常奇怪……（现在B找你说话，把你的疑惑告诉他。）

36

你是B：A的女朋友。晚上你和A要参加一个舞会。你征求A的意见，怎么打扮好。其实你很想把头发盘起来，穿一条黑色的连衣裙……（把你真实的想法告诉A。）

37

你是B：留学生。现在有人敲门，想办法委婉地拒绝敲门人的要求。

38

你是B：马力。晚上7：45开始和三木一起讨论三木下星期的演讲稿。晚上8点杰克来借东西（这个东西三木有），拉他一起讨论。9点，你的手机响了，你有事情要出去一下。

39

你是B：留学生。你是一个学习努力、谦虚的人。在这次的留学生作文比赛中获得一等奖。（虽然得奖了，你依然很谦虚。）

40

你是A：校园记者，采访本校留学生B：

(1) 在中国的留学生活是否值得，为什么？

(2) 留学生活和你想象的有什么差别吗？

(3) 留学生活中对你印象最深的一件事是什么？

(4) 对中国文化最感兴趣的方面是什么？

(5) 学习完以后有什么打算？

……

（注意：如何引起话题，适当地转换话题，最后结束话题）

41

今天是周末。

你是A：一名年轻的公司职员。汉语水平不错，但前一段时间工作比较忙，没有坚持学习汉语，发现退步很多，很后悔。所以，现在复习汉语。听到敲门声……

42

A、B 是朋友。

你是 A：听说朋友 B 租的房子快到期了，现在还没有租到房子。暑假你要回国一个月，想找人看房子（不要钱）。打电话给 B……

如果 B 愿意，你将会把钥匙给 B。房间里的东西，B 都可以用，包括电脑，但是 B 不能随意处理自己在电脑中的文件；希望 B 保持房间的清洁；还希望……

43

你是 B：你是孩子的父亲。你觉得孩子工作后，一切独立了。父母不需要过多操心。（如果孩子的母亲为孩子操心，你就把"听任孩子自由发展"的观点告诉她。）

44

在书店。

你是 B：售货员，能够了解各种书的特点，满足顾客的要求。

比如你知道《基础汉语》：

☞ 为学习汉语的外国人编写的，主要培养学习者汉语听说读写基本技能和一定的汉语交际能力，也可用于针对某一特定言语交际技能的汉语教学；

☞ 教材包括：

1.《课本》，1—4 册，是教材的主要部分，包括词汇表、课文、注释、语法、文化点等。课文采用简体字，注有拼音和英文翻译；

2.《汉字本》，1—2 册，提供汉字的有关知识，以及多种多样的练习材料；

3.《汉字本》，3—4 册，包括听、说、读、写、译各个方面，难易结合，兼顾学习者的不同需要和不同水平；

4.教材配有音像材料。

45

你是 B：留学生。最近，很多外国学生都想到中国留学。于是，你和同屋 A 聊起自己来中国留学的一些事情。

留学的事，家人非常支持：可以多学习一种语言和文化，能扩大知识面；可以锻炼独立生活能力……

46

你是 A：晚上和 B 去友谊剧院看留学生汉语表演晚会，约好 7：20 在门口见，可是，B 8 点才到。没有看到前面精彩的节目，你埋怨 B ……

47

你是 B：你的一位好朋友送给你一张李玟演唱会的门票，演出下午四点开始，可是你要去飞机场接父母，不能去看。现在你给 A 打电话，问问她想不想去听李玟的演唱会。

48

已婚者和未婚者总是互相羡慕着的两类人。

你是 A：已婚者，非常羡慕未婚者 B。因为未婚者有以下的优点：

(1) 自由自在，没有人管；

(2) 还有很多机会去追求爱情；

(3) 完全支配自己的时间和金钱；

(4) 可以随时换工作或者搬家，不必考虑太多；

……

49

A、B 住在一个宿舍。平时面包、蛋糕、牛奶一类的早餐都是 A 买的。

你是 B：今天上午，你的肚子不舒服，所以不断地上洗手间。你怀疑早上喝的牛奶不新鲜，是过期食品……

50

你是 A：留学生。参加"外国人唱中国歌"比赛，获得第一名。你很高兴。心里非常感谢音乐老师李老师，是他特殊的教学方法提高了你的演唱水平。如果没有李老师，你觉得自己不可能获奖。现在领奖刚刚结束。

51

你是 B：日本留学生，有工作经验，有 HSK9 级证书，今年九月毕业。看到招聘启事，来到松下电器上海分公司应聘。

人才招聘

职位名称：	事务型日语翻译
招聘说明：	校园招聘
招聘公司：	松下电器上海分公司
工作省份：	上海
具体工作城市：	上海
工作所属类型：	秘书／行政
职位描述：	1.日语文档翻译 2.日常日语口语翻译 3.部门文档管理及相关联络工作 4.部门收支管理
职位要求：	1.大学本科毕业 2.日语一级以上，口语及笔译流利 3.熟练使用中文和日文的 OFFICE 软件

4．工作作风严谨、富有责任心

5．上海市常住户口

（想办法使自己应聘成功）

52

A组：想想广告的好处，从广告给我们的生活带来方便，快乐等方面说明广告对社会生活的影响是利大于弊：

1．广告是一种购物指导；

2．广告是一门艺术；

3．广告是一种装饰；

4．广告可以促销产品；

5．广告有宣传教育的作用，如：公益广告；

6．广告是学习汉语的一种方法；

7．……

注意：在列举广告的种种好处的同时，要能够对B提出的观点和看法进行反驳，可以适当地运用感谢、满意、转述、强调、列举、忍让、比较、偏袒、相信、称赞、庆幸等功能，尽量让B组同意我方的观点。最后对我方的观点进行总结概括。

53

你是A：骑自行车闯了红灯。按规定要被交通警察罚钱，还要没收车子。可是，你发现警察正好是哥哥的同学，请求他放过自己。

54

B组：留学生，但是你的父母在中国做生意。父母觉得你还是个孩子，管你很严，所以一般你很少参加同学的活动。中午下课，你像往常一样回家吃饭，因为家里已经做好了饭。

（提示：你的同学可能会邀请你参加一个活动，委婉地拒绝他们，但其实你很羡慕他们。）

55

你是B：昨天同学田中请自己修电脑，可是电脑没修好，却删去了田中存在电脑上的资料。田中很生气，和自己吵了一架。今天向A表示后悔：

1．自己的电脑技术一般，不应该瞎帮忙。

2．昨天的态度不好，说了一些没有礼貌的话。

3．丢失的资料可以重新再打印一份，而同学间的友谊却被破坏了。

4．认为田中不会原谅自己……

56

B组：你是玛丽，同学们到你的宿舍商量毕业晚会表演什么节目，设法使大家抓紧时间商量毕业晚会的事。具体有关的事项有：

（1）表演什么节目；

（2）准备毕业晚会的服装、道具；

（3）确定参加的人员；

（4）确定表演的角色；

……

57

你是 A：本科留学生，选择的毕业论文的题是关于"广州话中的外来词汇"。

你对这个题目很感兴趣，不打算再改别的题目。现在你来找老师 B 谈你的论文。

58

你是 C：三木。晚上 7：45 开始和马力一起讨论你下星期的演讲稿。晚上 8 点杰克来借东西（这个东西你有），拉他一起讨论。

生词表

A

爱面子　àimiànzi　12

B

拜年　（动）　bàinián　话题八
包装　（动、名）　bāozhuāng　10
报案　（动）　bào'àn　2
报复　（动）　bàofù　13
抱怨　（动）　bàoyuàn　1
豹子　（名）　bàozi　8
辈分　（名）　bèifen　3
奔跑　（动）　bēnpǎo　9
本地　（名）　běndì　10
本人　（代）　běnrén　13
笔　（量）　bǐ　14
笔译　（名）　bǐyì　6
弊　（名）　bì　话题七
必然　（名、形）　bìrán　8
边疆　（名）　biānjiāng　14
编写　（动）　biānxiě　3
变动　（动）　biàndòng　13
遍及　（动）　biànjí　10
辩论　（动、名）　biànlùn　话题七
别扭　（形）　bièniu　12
冰棍儿　（名）　bīnggùnr　1
不当　（形）　búdàng　话题七
不光　（副、连）　bùguāng　5
不谋而合　bùmóu'érhé　13
步行　（动）　bùxíng　话题八
部门　（名）　bùmén　10

C

猜疑　（动）　cāiyí　12
菜单儿　（名）　càidānr　13
灿烂　（形）　cànlàn　话题七
草稿　（名）　cǎogǎo　13
曾经　（副）　céngjīng　5
差别　（名）　chābié　3
差异　（名）　chāyì　11
茶馆　（名）　cháguǎn　13
产品　（名）　chǎnpǐn　1
猖狂　（形）　chāngkuáng　2
长寿　（形）　chángshòu　9
尝试　（动）　chángshì　9
场所　（名）　chǎngsuǒ　11
车祸　（名）　chēhuò　7
车子　（名）　chēzi　2
沉　（动、形）　chén　5
撑　（动）　chēng　8
成本　（名）　chéngběn　14
诚意　（名）　chéngyì　8
城镇　（名）　chéngzhèn　话题八
吃里爬外　chīlǐpáwài　8
愁眉不展　chóuméibùzhǎn　11
出道　（动）　chūdào　10
出境　（动）　chūjìng　话题八
出行　（动）　chūxíng　话题八
处罚　（动）　chǔfá　4
窗口　（名）　chuāngkǒu　6
床单　（名）　chuángdān　4
创办　（动）　chuàngbàn　14
纯净　（形）　chúnjìng　9
促成　（动）　cùchéng　10
促销　（动）　cùxiāo　1

存钱 （动） cúnqián 6

存折 （名） cúnzhé 6

挫折 （动） cuòzhé 7

D

达成 （动） dáchéng 14

打发 （动） dǎfa 10

打击 （动） dǎjī 2

打交道 dǎjiāodào 14

打搅 （动） dǎjiǎo 12

打折 （动） dǎzhé 4

大众化 （名） dàzhònghuà 13

大自然 （名） dàzìrán 9

带动 （动） dàidòng 5

带头 （动） dàitóu 7

单独 （形） dāndú 9

耽误 （动） dānwù 14

胆 （名） dǎn 8

当家 （动） dāngjiā 14

当面 （副） dāngmiàn 7

登记表 （名） dēngjìbiǎo 6

地铁 （名） dìtiě 话题八

点名 （名） diǎnmíng 7

典型 （名） diǎnxíng 11

调 （动） diào 7

调查 （动） diàochá 7

调动 （动） diàodòng 13

丢三落四 diūsānlàsì 13

独生子女 dúshēngzǐnǚ 12

独自 （副） dúzì 4

度假 （动） dùjià 9

队伍 （名） duìwu 14

兑现 （动） duìxiàn 4

多姿多彩 duōzīduōcǎi 10

F

发布 （动） fābù 6

发脾气 fāpíqi 12

发票 （名） fāpiào 4

发行 （动） fāxíng 话题七

法 （名） fǎ 4

法庭 （名） fǎtíng 7

法则 （名） fǎzé 4

反驳 （动） fǎnbó 话题七

犯规 （动） fànguī 9

犯罪 （动） fànzuì 2

范围 （名） fànwéi 5

方言 （名） fāngyán 11

防 （动） fáng 12

放松 （动） fàngsōng 12

分公司 （名） fēngōngsī 6

服输 （动） fúshū 10

福气 （名） fúqì 12

抚育 （动） fǔyù 10

辅导 （动、名） fǔdǎo 10

G

岗位 （名） gǎngwèi 7

高明 （名、形） gāomíng 2

高中 （名） gāozhōng 12

歌唱 （动） gēchàng 9

跟踪 （动） gēnzōng 7

公民 （名） gōngmín 话题八

公益 （名） gōngyì 话题七

购买 （动） gòumǎi 话题八

固定 （形） gùdìng 9

观点 （名） guāndiǎn 13

观看 （动） guānkàn 11

关键 （形） guānjiàn 7

153

L

来往 （动） láiwǎng 14

牢固 （形） láogù 12

劳累 （形） láolèi 7

乐意 （形、动） lèyì 4

累计 （动） lěijì 14

冷静 （形） lěngjìng 7

礼拜 （名） lǐbài 12

礼节 （名） lǐjié 8

利 （名） lì 话题七

利润 （名） lìrùn 2

脸色 （名） liǎnsè 1

良心 （名） liángxīn 7

领域 （名） lǐngyù 话题七

路费 （名） lùfèi 10

轮流 （动） lúnliú 4

M

瞒 （动） mán 3

慢性 （形） mànxìng 7

忙碌 （形） mánglù 13

美满 （形） měimǎn 9

美容卡 （名） měiróngkǎ 1

美食 （名） měishí 8

门票 （名） ménpiào 4

迷茫 （形） mímáng 10

谜 （名） mí 8

米线 （名） mǐxiàn 8

描述 （动） miáoshù 6

民间 （名） mínjiān 1

名称 （名） míngchēng 6

明媚 （形） míngmèi 9

名人 （名） míngrén 3

明显 （形） míngxiǎn 1

模特儿 （名） mótèr 11

摩托车 （名） mótuōchē 话题八

目睹 （动） mùdǔ 14

沐浴液 （名） mùyùyè 话题八

N

纳闷 （动） nàmèn 8

难怪 （副、动） nánguài 1

宁静 （形） níngjìng 9

宁可 （连） nìngkě 12

O

哦 （叹） ò 13

偶像 （名） ǒuxiàng 10

P

排队 （动） páiduì 8

派出所 （名） pàichūsuǒ 2

配方 （名） pèifāng 1

碰钉子 pèngdīngzi 4

譬如 （动） pìrú 3

偏 （形） piān 14

品味 （动、名） pǐnwèi 8

评论 （动） pínglùn 11

凭 （介） píng 6

颇 （副） pō 14

朴实 （形） pǔshí 9

Q

沏 （动） qī 8

齐心协力 qíxīnxiélì 5

启发 （动） qǐfā 3

起初 （名） qǐchū 14

气息 （名） qìxī 7

千变万化 qiānbiànwànhuà 10

157

专 有 名 词

功能总目录

图书在版编目（CIP）数据

阶梯汉语．中级口语．第 4 册／周小兵主编．—北京：华语教学出版社，2005.7
ISBN 978-7-80200-106-0

Ⅰ.阶… Ⅱ.周… Ⅲ.汉语—口语—对外汉语教学—自学参考资料 Ⅳ.H195.4

中国版本图书馆 CIP 数据核字（2005）第 065161 号

阶梯汉语·中级口语

（第 4 册）

丛书主编 周小兵

策划编辑：单 瑛
责任编辑：任 蕾
封面设计：李大星
图片提供：兰佩瑾
印刷监制：佟汉冬

*

© 华语教学出版社
华语教学出版社出版
（中国北京百万庄大街 24 号　邮政编码 100037）
电话：(86)10-68320585
传真：(86)10-68326333
网址：www.sinolingua.com.cn
电子信箱：hyjx@ sinolingua.com.cn
北京市松源印刷有限公司印刷
中国国际图书贸易总公司海外发行
（中国北京车公庄西路 35 号）
北京邮政信箱第 399 号　邮政编码 100044
新华书店国内发行
2006 年（大 16 开）第一版
2009 年 7 月第一版第二次印刷
（汉英）
ISBN 978-7-80200-106-0
定价：56.00 元 (+MP3)